いそがばまわれ

いそがばまわれ せたのからはし【急がば廻れ　瀬田の唐橋（長橋）】

▼「武士（もののふ）のやばせのわたりちかくとも いそかはまはれ瀬田の長はし」室町時代後期の連歌師「宗長（そうちょう）」が詠んだと、江戸時代はじめの「醒睡笑」に見える歌。▼東から京都へ上るには草津の矢橋（やばせ）の港から大津の石場への航路が最も早いとされていたが、天候が変わりやすいため、「比叡おろし」の強風により船出・船着きが遅れることも少なくなかった。瀬田まで南下すれば風の影響を受けずに唐橋を渡ることができ、日程が乱れることもないとして、詠んだものであるという。これが、「急いで物事をなしとげようとするときは、危険を含む近道を行くよりも、安全確実な遠回りを行くほうがかえって得策だ」ということわざ、「急がばまわれ」の語源になっている。

はじめに

BRAH=art.はじめます。

「障がいがあろうとなかろうと、好きなこと・得意なことを仕事にして精一杯生きる！」をモットーに、2014年9月NPO法人「BRAH=art.」（ブラフアート）はスタートしました。

インド哲学には、「ブラフマン＝世界の成り立ち」とは「アートマン＝一人の成り立ち」と同じである、という考え方があるそうです。であるならば、一人の障がいがある人の人生が変われば、社会全体が変わるはず。そんな想いを込めて、ブラフアートと名付けました。

古くからの街並みと、新興住宅地が混在するまち

私たちが活動する、滋賀県大津市の瀬田地域は、琵琶湖から唯一流れ出る淀川の源流「瀬田川」に面した平地にあります。まちのシンボルは「瀬田の唐橋」。かつては、琵琶湖を唯一陸路で渡れる手段として、交通の要所とされていました。戦国時代には、都入りを狙う武将たちから「唐橋を制する者は、天下を制す」とも言われたそうです。

現在では、東海道本線（現在のJRびわ湖線）や国道一号線といった幹線が整備され、京阪神のベッドタウンとして若者世帯の人口が急増しています。古くからの街並みと、新興住宅地。生活様式も、価値観も全く違う人たちが混在するまちになりました。転入した人たちが土地の文化・産業に触れる機会は少ないため、その継承が難しくなってきています。

施設の中を飛び出して、地域社会の中で活動しよう

ブラフアート設立前、地元神社の境内で月に1度開催されている朝市に、法人を創るためのPR活動としてスタッフたちが参加を始めました。設立後は、メンバーがライブペインティン

グを披露したり、記録写真を撮って回ったり。そのうちに運営にも誘われ、地元の業者さん、作家さん、商工会などたくさんの方とつながりが生まれました。

まちづくりの会にも携わり、子ども食堂の立ち上げにも、地域で力を合わせました。ブラファアートをまちなかに誘いだしてくれたのは、このまちのみなさんでした。

その経験から、ブラファアートの活動は、すべて地域社会の中で行おうと事業を展開してきました。

まちづくりって福祉の仕事だろ？

ブラファアートは、障がい者の日中活動を支援する事業所を4施設、滋賀県産食材とアーティストを応援するカフェ&ギャラリー「spoons」（スプーンズ）を運営しています。

その中のひとつ「office-cosiki」（オフィスコシキ）はまちづくりに携わるグループで、この本では黒子的役割をしています。「轂（こしき）」とは、車輪と軸をつなぐ存在。自分たちが真ん中ではなく、「いろんな人たちが『ここに住み続けたいなあ』と思うまちにしたい」という目的を真ん中に置いたとき、人と地域をつなぐ存在で在りたいと思っています。

例えば、電動車いすで生活しているメンバーは、「学習格差を解消したい」と、周辺地域の子どもたちに勉強を教える場を始めました。地場産業を体験してもらう社会科見学の企画もしています。また、寝たきりで医療的ケアが必要なメンバーは、可愛い雑貨好きが高じ、県内で活動するアーティストの作品を仕入れ、カフェで販売したり、個展を企画したりしています。

この本は、ブラファアートに「地域をつなぐ存在になりたい」と思わせてくれた、このまちの人たちの姿を綴りました。私たちは、この本に出てくる人たちをつなぐ存在として、まちづくりに参加しています。

これまで地域から「支援される側」であった障がい者福祉の世界が、地域を「支援する側」になる。新たな観点からのまちづくりのご提案です。

本書の読みかた

この本には、ごく普通の、
まちの人がでてきます。

つながるギャラリーには、
ブラフアートとまちの人との
つながりが見える写真と紹介文を
書いています。

どんなひとが登場するんだろうと
ワクワクを高めたら、
次のページを開いて、
まちの人たちに出会ってください。

はじめに

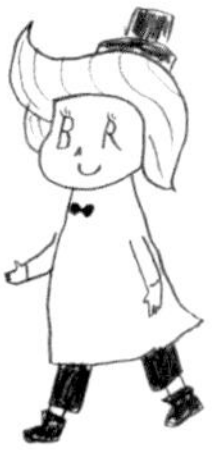

ブラフちゃん

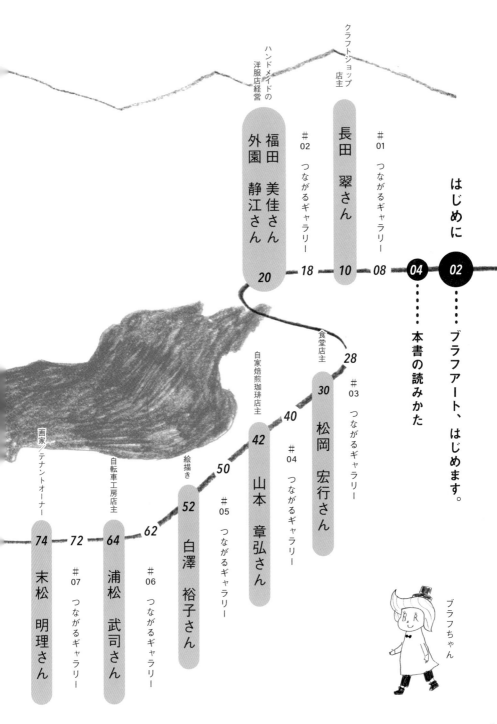

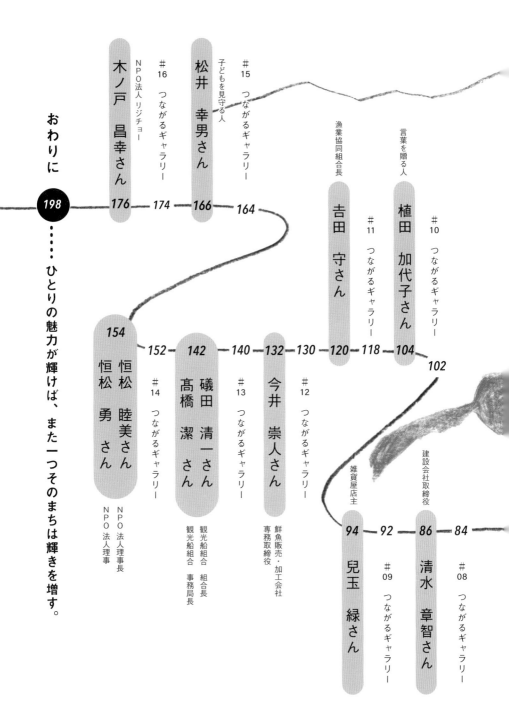

つながるギャラリー

まずご紹介するのは、ブラフアートのコンセプトに大きな影響と、法人設立へのきっかけを与えてくれた「咲ｓａｃｒａ楽」の長田さん。

福祉事業所で作った手織り作品を、服飾作家とコラボレーションさせ、いままで見たこともないようなお洒落な商品に変えてくれた。慈善でなく、福祉関係者以外の人が「ほしい！」と思ってくれる商品を生み出す。

障がいがある人の営みが、本当の意味で、社会に活きる方法を見つけました。

＃01

人と人との出会いの場となりますように。

長田　翠（おさだ　みどり）
クラフトショップ「咲ｓａｃｒａ楽」店主

#01

長田　翠（おさだ　みどり）
クラフトショップ「咲 sacra 楽」店主

──「咲sacra楽」を始めたきっかけは？

私ずっと、夢とかやりたいことが見つからなかったんです。とりあえず短大行って、それなりに仕事も頑張ってきたけど、見つからず。で、外の世界見たらそこから何か生まれるかもしれないと思って、イギリスに行ったんです。イタリアの物を仕入れて売る友達とか、色々刺激のある人は周りにいっぱいいて、「私も行こう」「語学留学して、その後もう帰ってこーへんぞ」ぐらいの勢いで行ったけど、それでも何も見つからなくて。

帰って来てからインテリアの仕事に就いたんです。そこで主人と出会ったんですけど、やりたいことはずっと見つからないまま、もがきながら、やってきて…。結婚したら、もうそれがゴールのような気がしてたんだけど、ずっとモヤモヤ…。

子どもが生まれる前ぐらいからかな。日本の着物の生地をもっと、若い人がインテリアに活かせたらいいんじゃないかと思ったんです。それをね、クッションとかコースターにして、手作り市みたいので売り出したんですよ。25年以上前かな？

それが咲楽の始まり。

――縫製もされてたんですか？

いえいえ。結局それも自分で縫製出来るわけでもなく、自分は企画して母親に縫ってもらってたんです。なんかそれもちょっと、「作ってます」って言えへんし、モヤっとしてて、その後子どもが産まれたんで、実家がある草津に帰って来たんです。

その後、兄が結婚することになり、引き出物を永源寺愛郷の森にある「八風窯」さんに作っていただくことになりました。それがきっかけとなり、工房に伺うとそこの器がどれも可愛くて…。

その頃って、手作りの物を売ってるところがなくって、それこそ25年以上前やし、クラフトショップもない。ギャラリーって言ったら何か凄いものが売ってるような、そんなとこしかなくって。千円ぐらいのカップを売ってるとこがなかったんですよ。

工房のカップを使ってみたら、カップひとつ変わっただけで、めっちゃ気分が豊かになって、なんかこれみんなにもっと言ってあげなと思って、いきなり自分が使命感に追われて、お金もないのに、「私ここで店する」って言って。ほんまなんかもう、「私が紹介します！」みたいになって、その作家さんに言ったら、「全部、委託で貸します」みたいな…。今では考えられへんねんけど。

──それで本当にお店を作ってしまったんですね！

小さい店なんで、そんな点数なくっても、なんでも始められるじゃないですか。で、「まず店を作ろう」って言って、友達の大工と手作りで店を作って…。思いたったら即、何年後に計画とか、お金たまったら、とかいうのは無理なんで、もう明日から準備しますみたいな☺

そんな感じで、まず店を作りだして、作品を少しずつ集めて、オープンしたのが、1998年の12月。始めてみると、やっぱり若いママが、しんどい時に、カップひとつで気分が変わるとか、そんなんがあったり。で、もう1人、2人と扱う作家さんがどんどん増えていった。

――ようやく、やりたいことが見つかった。

それが、売るとお客さんから、めっちゃ感謝されるんですよ。「こんなかわいいものを教えてくれてありがとう」って言われる。だけど、「いや、それ私作ってへんし、私に別にお礼言われても…」みたいな。モヤモヤがずっとあって。「作ってる人がやっぱりすごい」みたいなんがずっとあったんやけど、作家さんも「作るのは好きやけど、売っていくのは下手やし、売り先があるのは嬉しいです」とか、「伝えてくれる人がいるのは嬉しいです」とか言うてくれはったら、何かそういう立場、そういう仕事があってもいい、作り手と使い手を結ぶ役割の人がいてもいいんじゃないと思えた。やっとこの仕事が腑におちたというか、それに徹していこうと思えた。

この仕事やってて、一番うれしいのは、物が売れたことよりも、自分がきっかけで出会わはる、それがまた何かに繋がるとか、それが一番うれしい。

店を始めたときに、人と人との出会いの場となりますよう

にっていうのをDMに書いて送ったわけ。だから店は小さいけど、人と人が出会って、それが更に広がっていったら、自分の存在価値というか、店を作った意味があったわけで、それが一番うれしいし、幸せやなーと思います。

クラフトショップ　「咲 sacra 楽」

滋賀県草津市平井 4 丁目 2-13
open 11:00〜17:00 ／ close 木・金・土曜日
http://craftsacra.com/

つながるギャラリー

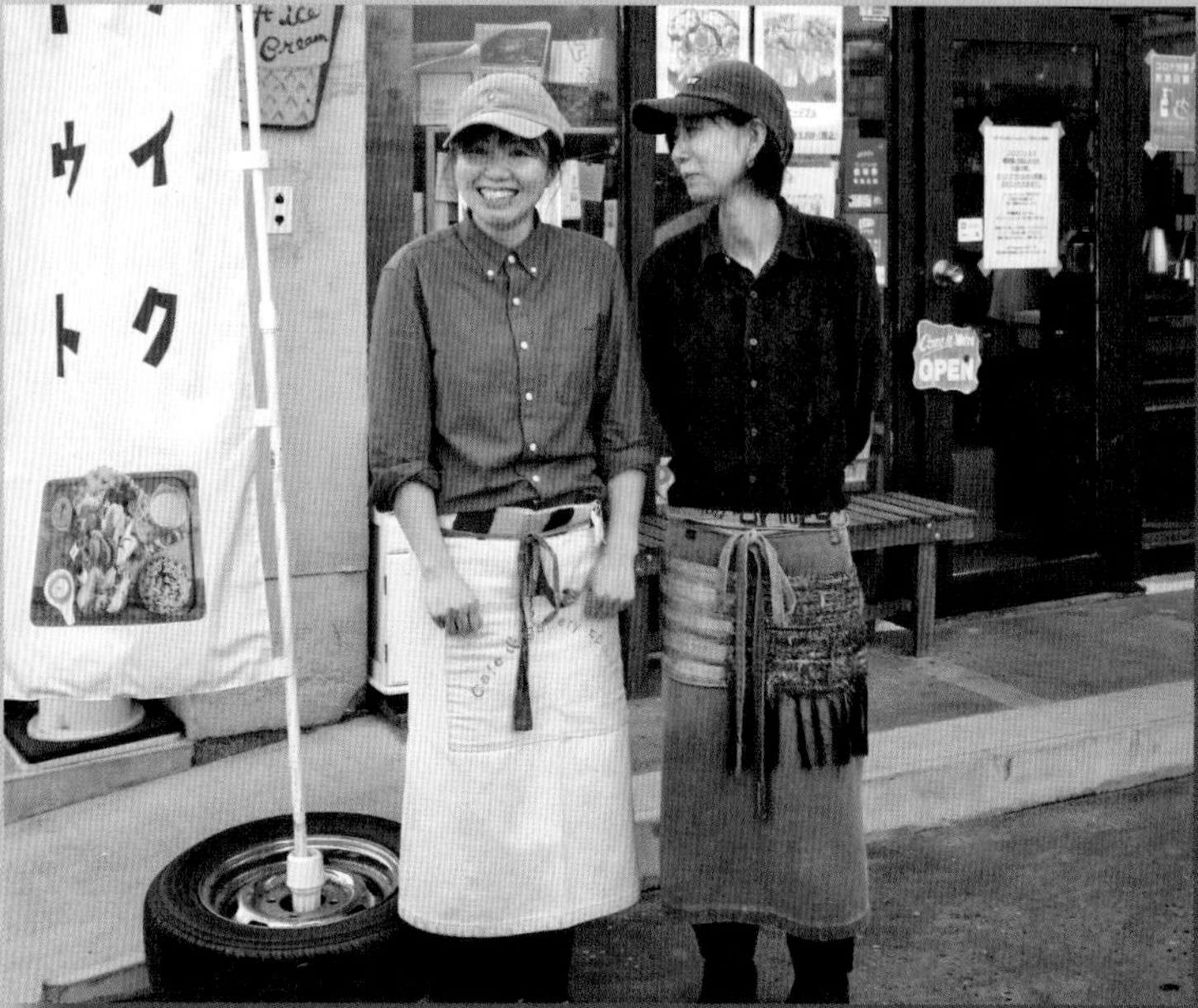

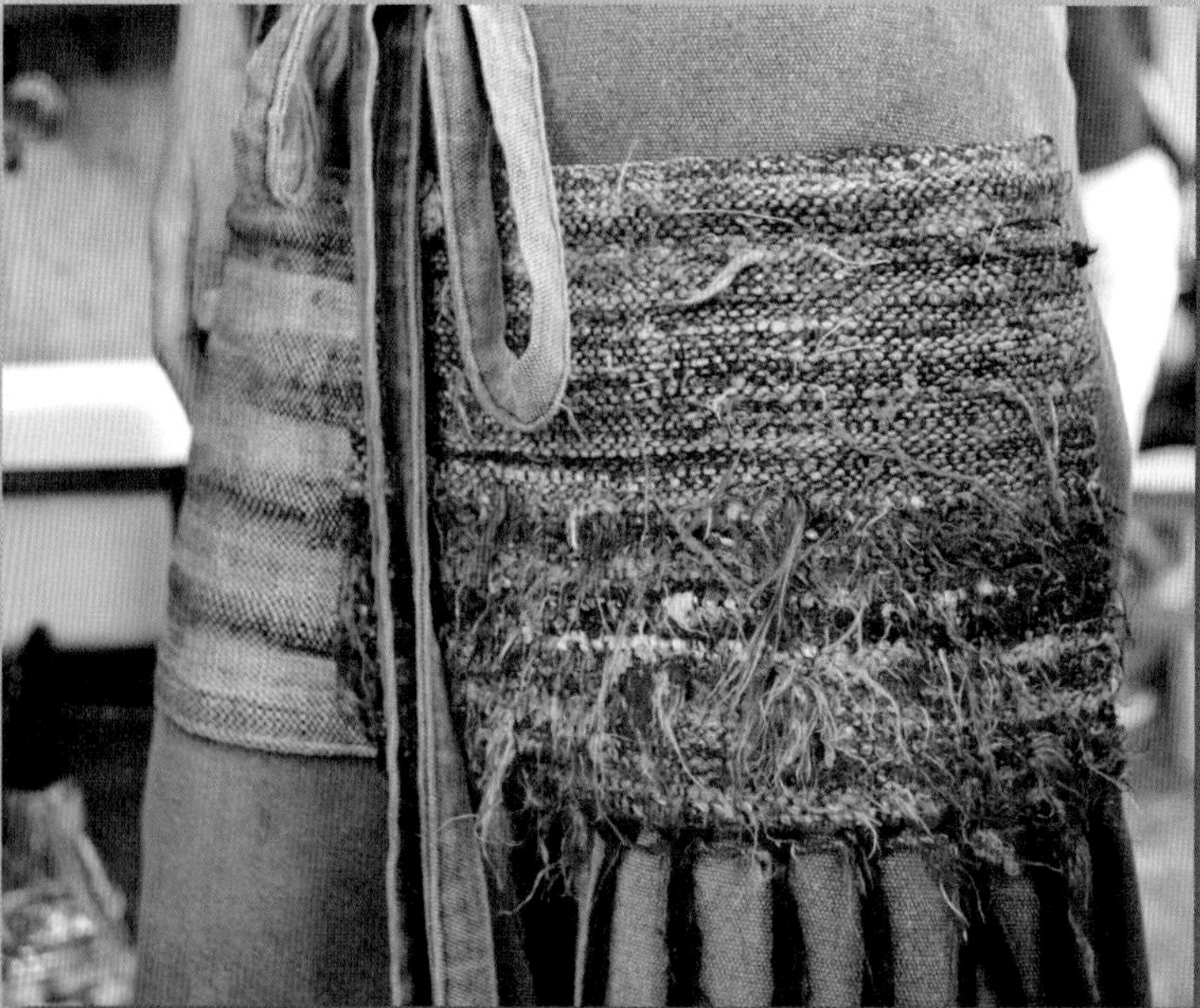

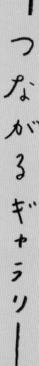

次にご紹介するのは、滋賀県草津市にある「Ｌａｕｇｈ」さん。「咲ｓａｃｒａ楽」長田さんの紹介で、コラボレーションさせていただいている服飾作家ユニットです。
彼女たちが生み出す服は、知的障害がある人たちの手織り作品に今までとは違う息吹を吹き込み、自信に繋げてくれました。

02

独学でやってることがコンプレックスやったけど、
何十年も毎日作り続けてたら、
もう自信 もってもええんちゃうかなって。

福田 美佳（ふくだ みか）
外園 静江（ほかぞの しずえ）
ハンドメイドの洋服店「Ｌａｕｇｈ」経営

Laugh
Come in
OPEN
Welcome

#02

福田　美佳（ふくだ　みか）
外園　静江（ほかぞの　しずえ）
ハンドメイドの洋服店「Laugh」経営

―おふたりはどうして出会われたんですか？

美佳　家が前やってん。引っ越しのご挨拶でタオル貰った時に「この人と趣味あうわー」と思ってん。でも、しずちゃんは思ってなかってん。

しず　「私、この人は絶対私と遊ばへんわ」と思ってん、見た目で（笑）

美佳　ママ友作らへん、近所の友達作らへんって思ってたのに、友達になりたいなと思った。お茶したときに、しずちゃんが持って来たカバンが、ジーパンの裾を切って作ったトートバックやってん。それがめちゃくちゃ可愛いかって、集まってなんか作る？　みたいな話で。

しず　私はもともと作ったりするのが好きやって、ずっとひとりで作ってたし、こーゆーの一緒に作る友達欲しいなって思ってた。美佳ちゃんも、たまたまお母さんにパッチワーク習って何か作ってる時やって、そっから2人で一緒につくるようになって。

―美佳さんは、昔からお裁縫をされていたんですか？

美佳　嫌いやってん（笑）幼稚園のカバンとか作るでしょ？お母さんに作ってもらってたんですよ。こーゆーの作れって言われるの、めっちゃ嫌って思って。

しず　でもお母さんはすごいしはる人やし、血はひきついでるよね。

美佳　お母さんがしてて、子育て中、パッチワークはじめたら、楽しかってん。

―嫌いを乗り越えて「好き」になったんですね。

美佳　色々乗り越えてきた（笑）その時々の悩み、「友達に売るってどうなん？」て言うところから、その時その時で真剣に悩んできた。特別な学校とかで習っていないっていうことも。今なら笑えるけど。

しず　それもいうたら売りっちゃ売りかな。本当に独学でやってきたっていうのも、だからこそ、他の人がタブーにするようなことも出来る。

――今では、地元のマルシェで手作りの洋服を売っている人たちにとって、お二人はカリスマ的存在になりました。

美佳　それを感じたことがない。全然あかんなって思って生きているから、ずっと。まだまだやなって。すごい人はいっぱいいいるし、すごいって思われるようなこと何もしてへんし。

しず　ただ長いだけやな。

美佳　独学でやってることがコンプレックスやったけど、何十年も毎日作り続けてたら、もう自信もってもええんちゃうかなって（笑）

しず　毎日毎日10年以上やったし、もうええかって！なんか自信もって（笑）

美佳　私ら16年ぐらい毎日何か作ってるから。

しず　今ナチュラル志向の人が増えて、身近なものを手作りするのがすごい流行っているから、おんなじテイストで作ってる人は結構いはるけども、手作りでこんな服作ってはる人はいはらへんよな。だから違ってみえるんかな。やっぱり習って来てなかったっていうのが、かえって良かったんかも。

——大事にしてることは？

しず　好きなことしかしない。っていう。

美佳　それと笑うことやね。毎日笑うこと。

しず　そう、毎日可愛く楽しく笑って暮らそうっていうのがコンセプト。

美佳　そのコンセプトに乗っ取らないことはやめとこうねっていう決まり。

02

ハンドメイドの洋服店「Laugh」

滋賀県草津市矢倉 2 丁目 5-37　福井アパート 203 号
open 11:00〜16:00 ／ close　木・日曜日（臨時休業あり）
https://laughclothes2011.wixsite.com/laughclothes

つながるギャラリー

近江八幡市にある食堂「ヤポネシア」店主松岡さん。

ブラフアートの事務所は、松岡さんが以前経営していた居酒屋「ひろち屋」の跡地にあります。松岡さん曰く、「『お客様』の話を聞いて、その解決に『隣のお客様』を紹介する居酒屋は、『ソーシャルワークの原点じゃない？』」

私たちが目指す「周りの人たちをつなぐ存在」を実践している先輩です。

#03

障がい者自身に「出歩いていいんだよ!」って知ってほしいし、
健常者の住人に「いるんだよ!」って知ってほしい。

松岡　宏行（まつおか　ひろゆき）
食堂「ヤポネシア」店主

＃03

松岡　宏行（まつおか　ひろゆき）
食堂「ヤポネシア」店主

──松岡さんはいろんな経歴をお持ちなので、どこから伺ったらいいか？

ルーツは、※びわこ学園やね。僕ね、学生時代パスタ屋さんでバイトしてたんやけど、そこが1か月改装で休業するからって、たまたま友達に紹介されたびわこ学園にバイトに行ったんよ。

横に古い寮があってね、寮暮らししたんやけど、時間があったら誰彼かまわず集まってきて、「教育と療育の違いは……」みたいな話を延々。当時は朝6時までやったら呑んでていいみたいな！

びわこ学園にいて何が楽しくて働きたくなったかっていうと、それまで飲食業バイトが多かったから、ご飯屋さんで同じお客さんにサービスできるのってたかが2時間くらいやん。でも生活介助をしてると、それこそ娯楽から排泄まで全部関われるのがすごい楽しくて。

パスタ屋のバイトに戻った後も、休日に美術館行くついでに遊びに行って、ご飯介助して帰ってくるみたいな。人んちに遊びに行くような感覚でボランティアに行ってた。それが楽しくて学校卒業後は、びわこ学園に就職した。5年間働いて、職場結婚して、一緒に退職して世界一周に2年間

で、帰ってきた時になんの仕事しようかって思ったんやけど、一旦福祉は離れて、モノづくりの仕事に。介護保険が出来て、近所の大工さんとこが、スロープつける仕事とかがすごい多かったんで、その仕事に就きました。その頃って、例えば手すりは高さ90cm±5cmって基準が、背の高い人でも、低いおばあちゃんでも90cmでいいのか？ってのが、大工さんもわからへんさかいに結構重宝されたんよ。

そのうち、木造大工はすごい不景気になって、ちょっとバイトでも探そうかなって時に、びわこ学園の厨房に誘われて、2年間働いて、その後、独立して、びわこ学園の近くに居酒屋を開きました。

※社会福祉法人びわこ学園
滋賀県南部を中心に、重度障がい者の生活支援を行う施設を展開する。「この子らを世の光に」を掲げ、日本社会福祉の父と言わる糸賀一雄が1963年に創設した。

03

――びわこ学園の厨房ではできないことがあったんですか?

食堂で働いてるときに、当時夕食も出してたから、職員さんがよう愚痴こぼしにくるんよ。でも、学園の中だと話しにくいこともある。居酒屋とかならもっと気軽に話せるし。

――店やるのは初めてじゃないですか。不安とかなかったんですか?

根拠の無い自信に満ち溢れてるから、開けたらお客さんわんさか来る!と思てたよ。開けてからのほうが不安はもちろん。居抜き物件やったから安かったのもあるけど、300万借りて、あっという間に飛んでった。それでも10年続けた。

――その後、障がい者の人も一緒に働いたり、一般企業で働くための訓練をする飲食店「オモヤキッチン」を作ったんですよね?きっかけは?

お客さんで、当時、障がい者福祉施設で働いていた若者の杉田健一君が、カウンター乗り越えて「障がい者の人と一緒に野菜を作る作業所をしたいと思てるんですよ！」言うから「ほなやればええやん！　もうやるかやらんかだけやで！」言うて。

ほんでまあ、その1年後くらいに、杉田君は独立して、農作業を主とする作業所「おもや」開いて。野菜も最初は有機栽培で作ってて、けっこういい野菜が採れてたんやけど、自然農法に切り替えて、一時まあひどい野菜になって。

でも2年くらいたったら、良くなってくるんやけど、今度ははけへん。うちは買ってて、お客さんも「おいしい」って言ってくれてるんやけど、作り手にお客さんの「おいしい」が直接見えてないなと思ってた。そんで、杉田君と話して居酒屋を10年で閉めて、「オモヤキッチン」をつくった。

――自分でやる店と、就労支援としての店。全然違うのでは？

03

うん。僕の店ちゃうし、みんなが主役やさかいに。就業訓練として、接客も、店以外でも、畑でも障がいのある人が作業しやすいように、アドバイスした。

楽しかったし、「仕事として当然求められますよ」って訓練も積極的にやってたんやけど、僕が辞めたのは二つ理由があって、障がい者の人たちの訓練をしても、受け入れ先がまあない。もう一つは、あっても工場とか清掃やし、そこにみんなを当てはめる仕事にはしたくない。じゃあ、僕が彼らの仕事を創ろう！って思って、オモヤキッチンは仲間に任せて、別の場所に飲食店「ヤポネシア」をつくったんよ。まあコロナもあって、なかなか雇用まではいかないけど。

――今後やりたいことは？

ブラフアートが活動してる地域（瀬田）って、自立生活してる人いっぱいいるやん？一日駅付近にいたら、いっぱい出会う。多分、ヤポネシア（近江八幡）の周りにもいると思うんやけど、

全く出会わない。空き家とかもいっぱいあるし、住むにはいい街やと思うんやけど。

就労とか、雇用とかその前に、障がい者自身に「出歩いていいんだよ！」って知ってほしいし、健常者の住人に「いるんだよ！」って知ってほしい。だから映画祭したい！

今は、障がいがある人の自立や、友情関係を描いたそれこそ「普通」の人間として生きることをテーマにした映画がいっぱいある。この街で、ここじゃなく、街を使って映画祭やって、自立生活してる障がい者達に走り回ってもらって、トークショーして。あ〜、まちづくりとか関わるつもりなかってんけどな！　福祉だから適当なもんでいいやなんて一切思ってないから、店づくりと仕事づくり、その前にまちづくり。関わらざるを得なくなってきた！

03

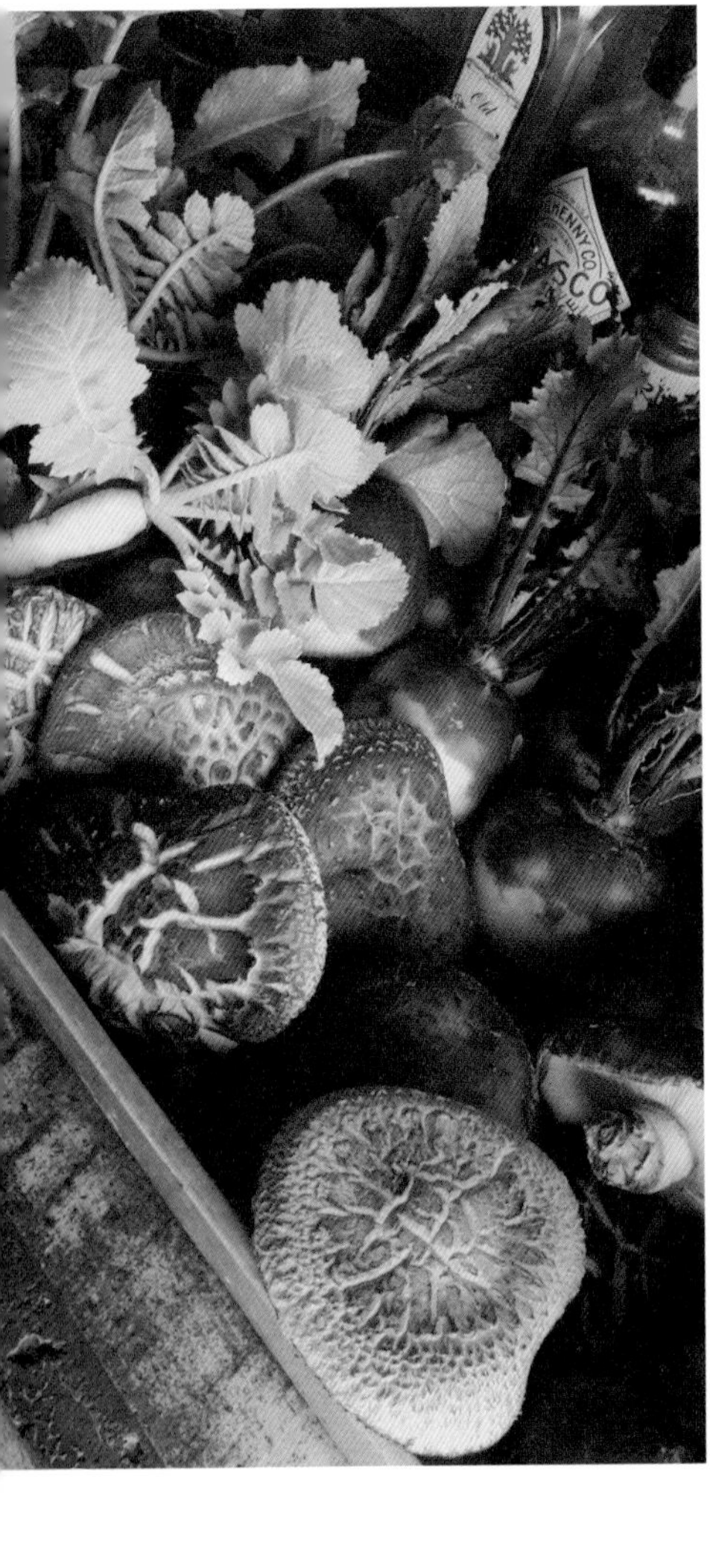

食堂「ヤポネシア」

滋賀県近江八幡市仲屋町中 24-1
open 11:00〜15:00 / 18:00〜 21:00
close　月・日曜日夜
https://japonesia.net/

つながるギャラリー

京都府山科区にある「弘陽珈煎」の山本さん。滋賀県内の福祉施設が運営する多数の喫茶店に、こだわりの焙煎豆を卸しています。ブラフアートが運営するカフェ「スプーンズ」の珈琲豆も彼の仕事。何度も試作を繰り返し、「口に含んだ瞬間はスッキリ、奥で薫る」そんなオリジナルブレンドが実現しました。

04

いろんな繋がりを大事にして、
考えてることや、趣味とか、
自分のパフォーマンスを発信できる、
そんな店できたらええなあ。

山本　章弘（やまもと　あきひろ）
自家焙煎珈琲「弘陽珈煎」店主

＃04

山本　章弘（やまもと　あきひろ）
自家焙煎珈琲「弘陽珈煎」店主

――珈琲屋さんといっても、山本さんは卸売専門？

いえ、小売りもしてまして、この界隈じゃ、個人宅にも配達してる。卸は、細かいところも入れたら、もう100軒以上卸してるかな。豆それぞれに特徴があるから、それのええとこどりをして、ここの部分の味が好きな人はここの部分をちょっと強調したりとか、各お店のブレンド珈琲を作っています。

――いつから焙煎屋さんをはじめたんですか？　きっかけは？

子どもの頃から、親が飲んでたのをちょっともらってってってのが好きやったね。大学生の時、喫茶店でバイトして、珈琲に携わる仕事がしたいって思うようになった。就職活動するときって、いろんなこと考えるじゃないですか。自分が向いてることとか、どっか現実逃避したい部分もあって、ロマンチックになるというか。だから珈琲豆って世界中に需要も文化もあるから、どっか世界を意識してられるんじゃないかとか。海外旅行にも行っていたし、「世界」というのに憧れもあったんかな、今思えば。
でも、ちょうどバブルがはじけた時期で、先に決まった浄化槽の会社に入ったんですよ。滋賀県はね、昔は浄化槽が多かったんですよ。それまで垂れ流していた排水を、各家庭に浄化槽を設置して、水をきれいにして、琵琶湖へ放水するっていう。今はもう下水処理場があるから、必要ないけど。そういう水質保全の会社にいてたんですよ。それはそれで、環境問題にも興味あったしええかなと思って。
それでも、やってるうちに「やっぱ違うな」と思って、珈琲の会社に再チャレンジして。独立したかったから、勉強のつもりで働いて、2001年に独立しました。

—当時から卸し専門ですか？

そうですね。独立した時って、格差が広がって行き始めたぐらいやと思いますわ。喫茶店は、一家の大黒柱が主としてやっていくのはちょっと大変かなと思って。でもやっぱり、いずれはイートインのお店をやりたいっていうのは常に、野望という

04

かね、野心は持ってる。

―山本さん主催のマルシェもされてますね。

ここの軒下で、仲の良いお店の商品を預かって、販売してるだけですよ☺毎回完売です。それくらいちっちゃなプチマルシェ。エシカル商品ゆうて、「倫理的」とか「地球にやさしく」が直訳になるんやけど、僕にできることが何かって考えたときに、例えば、地産地消とか、リサイクル品を買うとか、そういう物を選んで消費する。それがまあ、エシカルにつながるんかなと。

ここでやるマルシェも、「エシカルプチマルシェ」。山科の地産地消に取り組んではるお店の商品を預かるようにしています。珈琲と環境。結局、元々興味あったことですね。

―インスタラジオなど発信もはじめているそうですね。これからどんなことをやっていきたいですか？

いろんな人のいろんな話に興味があるから、いろんな繋がりを大事にしてライブハウスまでは行かんでも、考えてることや、趣味とか、自分のパフォーマンスを発信できる、そんな店できたらええなあ。

04

京都山科
COFFEE
CAFÉS DO
BRASIL
SUPREMO
自家焙
オリジナルブレンド
¥360/100g
パナマ

自家焙煎珈琲「弘陽珈煎」

京都府京都市山科区椥辻草海道町 38-20
https://coyo-kosen.com/

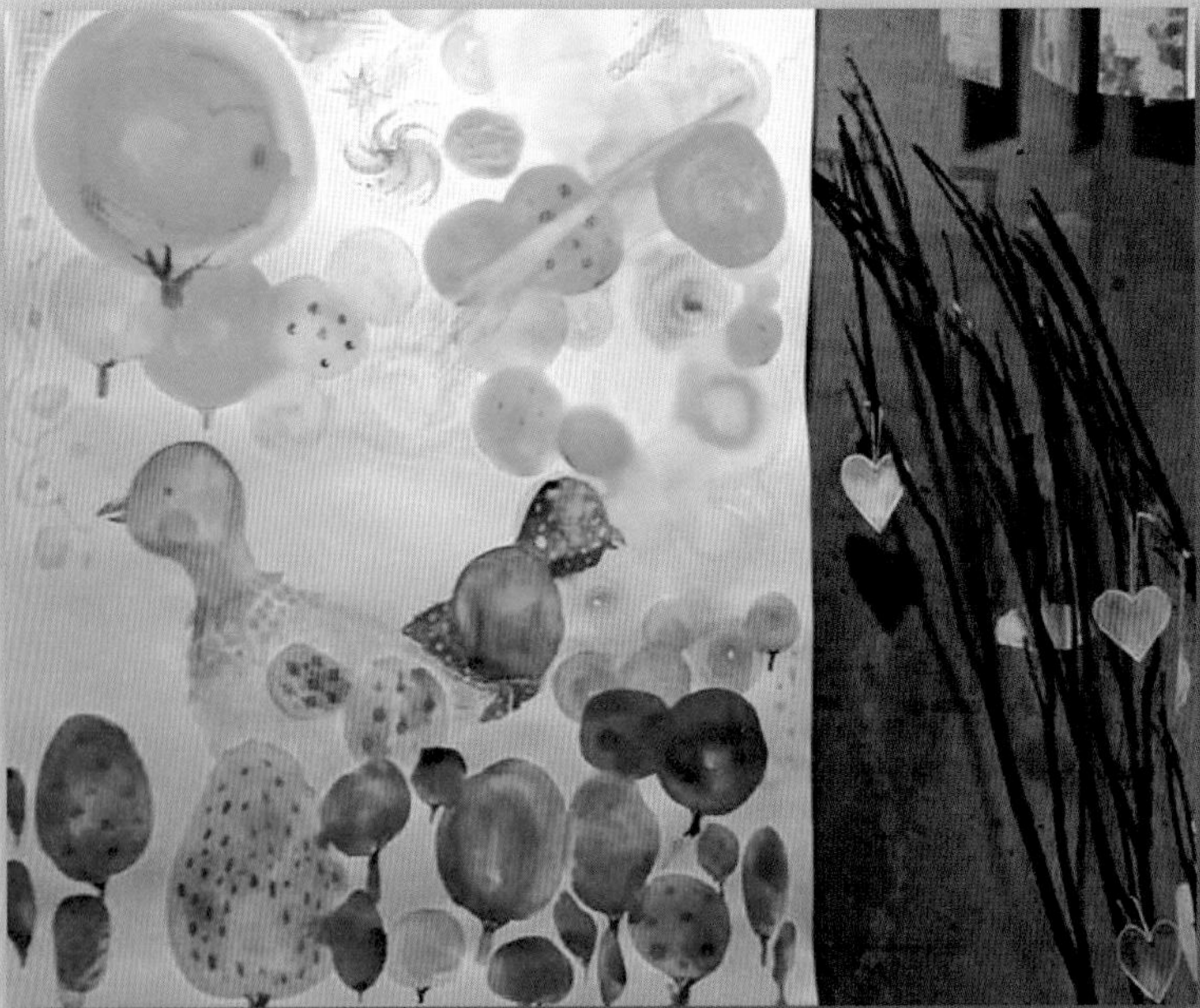

つながるギャラリー

妄想ファンタジー色辞典 vol.2
魔法の絵描き屋　木の葉堂　イラスト展
2019.6/4(tue)〜6/15(sat)
8:30〜17:00（火曜は11:00〜）＊（日）（月）お休み

ブラフアートの事務所は、コンクリートの打ちっぱなし。その壁を利用して、ギャラリーを開きました。開設まもなく個展を開催してくれたひとりが、絵描き「木の葉堂」の白澤さんです。常に一般の人が出入りする空間、そこに当たり前にいる障がい者。その大切さを教えてくれたのは、白澤さんをはじめ、個展を開催してくれた作家さん達の存在でした。

#05

表現ってさ、
あらゆる人がやってもいいし、
やったらすごく人生を切り開いてくれるもの
だと思うんだけど…、
まぁ自由だけど。

白澤 裕子（しらさわ ゆうこ）
絵描き「木の葉堂」

#05

白澤　裕子（しらさわ　ゆうこ）
絵描き「木の葉堂」

―絵は子どもの頃からずっと描いているんですか？

私、小さい頃から、すごく内向的で、多分、言葉でのコミュニケーションが上手く出来ないから、絵……みたいな。普通に社会に出て、仕事に就いて、結婚して、働きながら、幸せなはずなんだけど、すごく気持ちが沈んで。当時の仕事の内容が無駄を失くして効率をよくみたいな生産管理だった。無駄を失くすというのは、私生活にも結構影響して、絵を描けなくなっていったのね。

―また描くようになったきっかけは？

ＢＩＷＡＫＯビエンナーレですね。当時は、まだ絵描き活動も、休みの日にちょっと頑張ってたぐらい。覚えてるのは、古い町家の暗い中に、棺桶をイメージしたガラスの作品があった。その中にも、ガラスが飾ってあって、その雰囲気が生まれる前の精子と卵子みたいにも見えるし、何かあの世とこの世にも見える。

その作品を観て、自分の中の枯れていたものが、ぶぁーって満たされていくような感じがした。そっからかな、無駄なことがめっちゃ大事なんだっていうのに、ようやく気づいて、遊ぶようになったの☺

例えば、家で居酒屋やったりとか！ 段ボールをくり抜いてお店を作って、私が居酒屋のおっちゃんの役をして、お店の屋台のセットから、旦那さんにお酒をサーブするみたいな。

「どうやって遊ぼうか！？」って、仕事でもプライベートでも。

それから、メキメキ元気になって。「絵を描きたいなら、仕事を辞めたら？」っていう人の後押しで、一番怖かった会社を辞めることに着手した！


――普通は、学生の時はやってたけど、結婚して子どもが生まれて、日常が動きはじめると、遊ぶというか、余剰の時間がなくなってくる……

#05

私は、暗い子どもと言われ続けて、本当はやりたい事があっても出来ない子だった。ちっちゃい時、遊びが足りていなかったんだと思う。子ども時代出来なかったから、今になって遊びを取り戻している感じかな。

――大人になってから、自分の心の中心みたいなところに、ちゃんと戻っていくのって、本当にすごいなと。

私はそうでないと生きていけなかったから。「もう死にたい」というところまで気持ちが行ってた。会社辞めてすぐって、過ごし方がわからなくて。とりあえず近くの山に行って、野山を走り回り、蜘蛛の巣をくぐって、道なき道を歩いた。自然の中で木登りして遊んだり、すごい面白かった。そうやって、子ども時代を取り戻していった。

――お子さんが産まれて、何か変化はありましたか？

娘が1700グラムで生まれて、重度の心臓疾患があった。1か月後に大手術が待ってて、それを乗り越えられなかったら、「覚悟してくださいね」って言われて。血管繋ぎかえてようやく、自分の力で呼吸が出来るようになって

今は全く気にせずに動けるようになったけど、その死を覚悟した経験が、すごく今活かされてて、元気でいてくれたらあらゆることは結構どうでもいいな……と思えている。

当時、京都の病院の集中治療室に娘が何か月もいて、毎日通っていたの。その集中治療室まで続く壁のところに壁画があった。虹色の壁画で、動物とか、マングローブの木とか、海とかが描いてあって、毎日その絵に励まされながら、ずっと絵に寄りかかって過ごした。でっかいマントヒヒの絵があったの。おしりが虹色のやつ。なんだかすごいあの絵が好きで、いつも観てた。看護師さんにも言えない気持ちがいっぱいあったけど、ずっと絵に受け止めてもらっていて、その経験がすっごい大きかった。アートってこんな力があるんだって。

その後、ホスピタルアートにすごく憧れて、やりたいやりた

05

いって思ってたら、去年、「出し物と一緒にライブペイントしない？」って誘ってもらえて、叶ったんですよ！びっくり！でも、それも、遊ぶ企画をしていたら、その話に繋がったから、とにかく遊んでいれば、おもしろい縁に繋がるんだって思いました。

――絵のテイストは最初から変わらず？

大学の時に水彩を描きだして……。専攻は保育で、水彩を専門に習ったことはなくて。絵を描くのが好きだったから、自然な流れで、独学でずっと描いてた。水彩の何がおもしろいかって、水をいっぱい使うから、生き物に近いの。

絵のタッチとかは、自分の中での遊びが飽きるまでするから、常に変わってる。新しい扉がいっぱいあって、どこまでも。それが面白い。

――水彩の透き通った感じとか、絶妙な感じは白澤さんしか出せない感じですよね。

私ね、すごいおめでたいんだけど、自分で絵を描きながら泣いたりするんですよ。ツボにはまりすぎて。いや、おめでたいわ、私…って思ってる、いつも。

でも、私だけ特別みたいな感じで見られるのが私は嫌なの。よく「私なんて絵心ないから」っていう人がいる。絵を描くのは敷居が高いっていうか、上手い人だけすればいいみたいな雰囲気がある。それって、すごいもったいないと思うんだけど、どうアプローチしていいのか、いまだにそこは分からない。表現ってさ、あらゆる人がやっていいし、やったらすごく人生を切り開いてくれるものだと思うんだけど……、まぁ自由だけど。

05

「木の葉堂」

https://konohadou.com/

撮影場所：「Kolmio cafe」

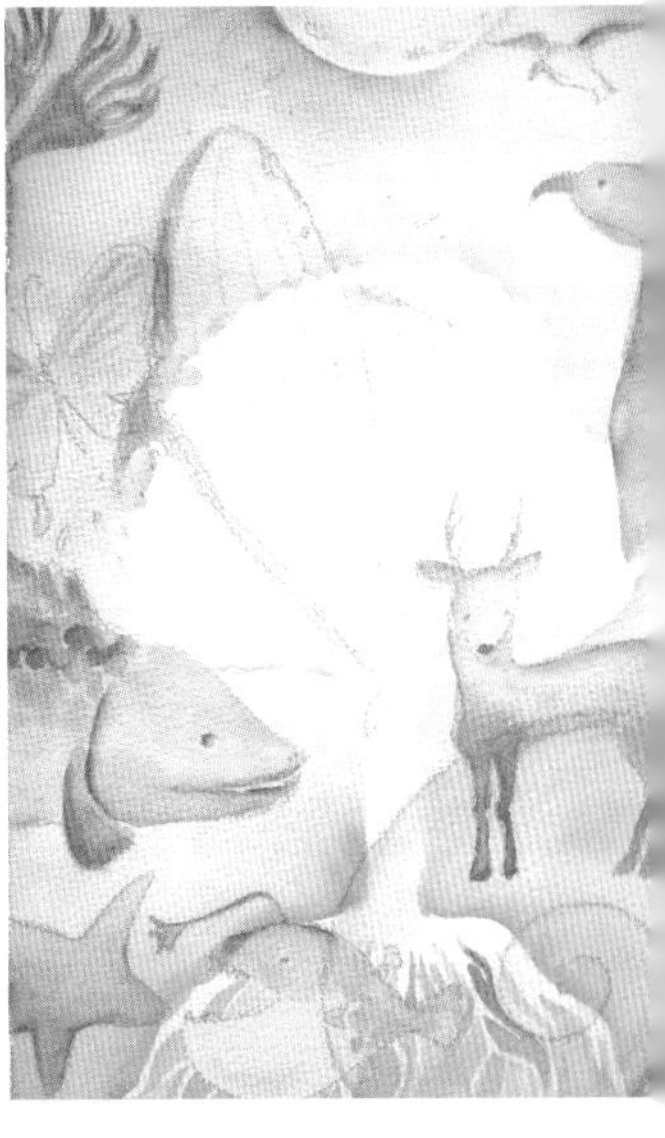

つながるギャラリー

地元神社の朝市に参加したことがきっかけで入会した商工会。地元の困りごとは地元の業者で解決しよう、と取り組む会員たちの「絆づくりビジネスネットワーク」にも参加することになりました。次に紹介する自転車工房「ふぃっと」の浦松さんはそのリーダー。浦松さんの紹介で、私たちは現在の「オフィス・コシキ」とカフェ「スプーンズ」があるガソリンスタンド跡地にご縁をいただきました。

#06

俺ずっと思っててん、
自転車屋はじめたときも、
日本一と言われる自転車屋になりたいって。

浦松　武司（うらまつ　たけし）
自転車工房「ふぃっと」店主

＃06

浦松　武司（うらまつ　たけし）
自転車工房「ふぃっと」店主

――浦松さんは退職後に自転車屋さんを始めました。どうして自転車屋さんを始めたんですか？


人から「ありがとう」って言ってもらえて、お金がもらえることって何かなって、退職して考えた時に、まぁそれ（自転車屋）しかなかったわけやな。幸せなことに。

自分が楽しいし、これ面白そうやし、一緒にやりたいって思ったことしかやらない。そうすると、お金って二の次になるやん。

これは結果なんよ。最初からお金が二の次のところばっかり選んでやってるわけじゃなくて、自分がやりたいことにのめり込んでいけばいくほど、結果としてお金がついてまわってこないっていうところ。でもね、そこでひとつだけ違うのは、そのお金がついてまわってこないっていうことを、当たり前やと思わないところが俺の欲張りなところ。だって、それを続けてもいいよってみんなが言ってくれるためには、お金もついてこなあかん。ボランティアっていう言葉自体、嫌いっていったらちょっと語弊があるけど、嫌いなん。やっぱり働きに見合う、貢献に見合う、最低限の金銭っていうのはあっても良いんじゃないか、だからボランティア＝無償っていう考え方じゃなくて、ボランティアも基本は有償である、ただそれが商業ベースの金額なのか、実生活ベースの金額なのかの違いだけで。

――レンタサイクルもされてますよね？

俺ずっと思っててん、自転車屋はじめたとき、日本一と言われる自転車屋になりたいって。レンタサイクルやったときも一緒。日本一といわれるレンタサイクルやりたい。そのために何が必要か。自分がユーザーと考えたときに、レンタサイクルが整備出来てるのは当たり前やんね。じゃあそれだけでいいのってなったらね、自分が普段乗ってる自転車より、整備がされてて、なおかつきれいな自転車が乗りたいわけでしょ。だから一回一回、戻ってくるたびに洗車して整備して、きれいな状態にする。

今度は、それ以外にね、「日本一」と言われるのにふさわしいことってなにがあるかなって言うたらね、自分が自転車乗りで

06

しょ、色んなところ走ってる。その上でのサイクリングに関してのノウハウを持ってるわけやから、それをひとつの情報として提供する。それは自転車屋さんにもできないことやし、レンタサイクル屋さんにもできないことやし。レンタサイクルを整備をして、お金を取って提供するということは、自転車乗りにもできないことなんや。俺はそれを全部自分でやっちゃおうってことになるから、お客さんにとってみたらありがたい、あくまで結果やけど、これがお金が取れるレベルなんかっていったら、世の中の常識は決してそうではない、だから自分が好きでやってるということで、今はとめてる。

──お客さんも喜びますね！

以前、初心者の女性で、方向感覚も体力的にも心配な方がいたんです。3泊4日で琵琶湖を一周する計画だったのに、4日目になっても完走できそうにないので心配してメールで「大丈夫ですか」って確認したら、「もう、体だるくて」言うんです。「これは、やばいかも」と思ったんで、5日目の朝、最後店までの1時間くらいの距離を伴走したんよ。その方はね、お母さんの介護をしてはって、妹さんのとこへお母さんが1週間行くっていうタイミングでうち予約しはって、このタイミングじゃないと行けへんからって。走り終わったとき、泣いてはったん。「私にも※ビワイチ出来たって」

自転車屋っていうか、レンタサイクルなんか特にそうなんやけど、サービス業やと思ってる。サービス業っていうのは、お客さんが笑顔になってくれて、ありがとうって言ってくれるのが、一番の報酬やから。だからそのために、出来ることっていっぱいあるやん。でも出来ることやのに、やらないハードルっていうのは、お金、経済効率をそこでフィルターかけてしまうと、やれるはずのことが出来なくなってしまう。だからなるべく、経済効率を無視した形でやりたい。

※琵琶湖（約200キロ）を1周すること

 # 06

自転車工房「ふぃっと」

滋賀県大津市一里山１丁目 24-11
open 9:00〜19:00 ／ close　月・木曜日（イベント等での不定休あり）
https://ameblo.jp/araya-raleigh/

つながるギャラリー

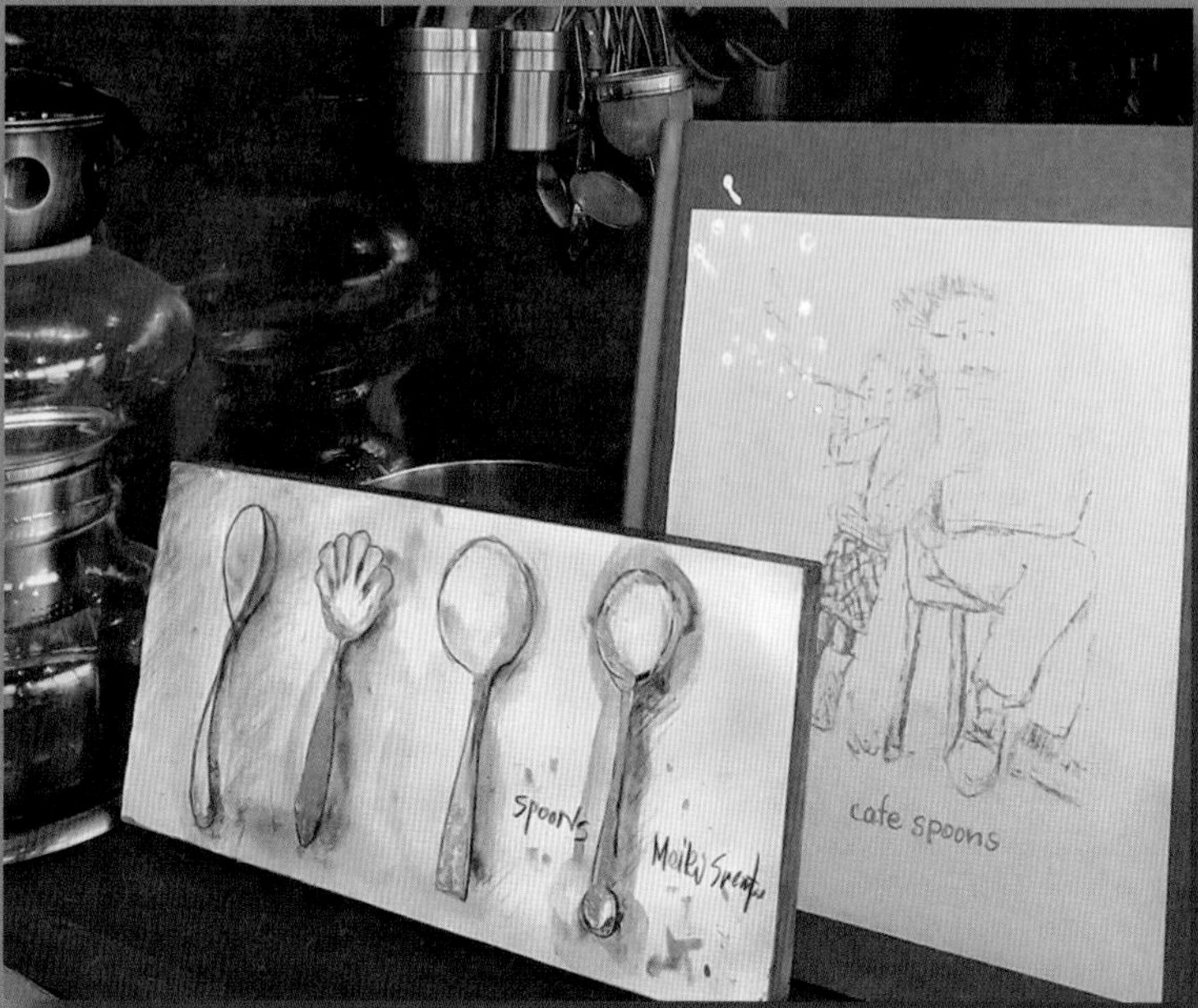

名橋「瀬田の唐橋」の東詰め。ガソリンスタンドの跡地に、ブラフアートのカフェと事業所はあります。建物のオーナーは、ご近所さんからも「メリーさん」の愛称で親しまれるアーティスト。カフェには、彼女に会いたくて来るお客さんが後を絶ちません。デイサービス利用者向けの絵画教室も開いてくれています。

07

大変なことも多いけど、それも含めて
面白がって生きてる。
私の生活自体が、アートなのよ！

末松　明理（すえまつ　めいり）
画家・ブラフアートのテナントオーナー

＃07

末松　明理（すえまつ　めいり）
画家／ブラフアートのテナントオーナー

――メリーさんがブラフアートに快く物件を貸してくださったおかげで、僕たちはこの地域で活動を始めることができました。

30年前、私がここでギャラリーをしていた時、ある日、障がいがある人から、「バリアフリーのギャラリーを作ってほしい」ってお手紙を頂いて。それがずっと気になって、大事に持ってたんですよ。それで、いつか障がいがある人も、車イスの人も来てもらえるギャラリーをしたいなと思っていたら、ブラフアートのみんながやりたいって言ってくれた、夢がかなったの。言うの忘れてた☺

――そうなんですね！　おかげで僕らはカフェ＆ギャラリー「SPOONS」を始めることができました。店名は、以前メリーさんがされていたギャラリー の名前「SPOONS」が由来です。

SPOONSって……、面白いでしょ？　私、夫の転勤で海外での生活が長いの。もう40年前のニューヨークで、今よりも怖いところやった。そやけど、おもちゃ箱ひっくり返したみたいに面白かった。色んな人に出会えたんですよ。その出会えた人たちが、みんな私の人生の中で、ひとつひとつがスプーンのように可愛らしかった。

なんでスプーンが好きかっていうたら、海外では「銀のスプーンをくわえて生まれてきた子どもは幸せになる」という言い伝えがあって、赤ちゃんの時にスプーンをもらう。

で、私たち、年を重ねてもみんなスプーンにお世話になるしね。生涯通じて、役にたってる。世界中どこにでも、同じように変わらず在る。私、いろんなところを転々としていて、各地に住むと、この何かを思い出にゲットしたかったんですよ。そしたら、スプーンがね。あちこち行って、いっぱい集まった。みんな同じ形してるけど、デザインはみんな違う。

ね？ 人間みたいでしょ？ 「スプーン1杯の幸せ」ってよく言うけど、みんなが可愛いから複数形で「スプーンズ」。それで、この絵描いてん。描いたスプーンはひとつひとつ名前があって。セピア色の方は思い出の中の人たち、鮮やかな色は、現代。今の自分の周りにいる人たち。

07

――絵を描きはじめたきっかけは？

絵を描き始めたのはね、小学校の時、辛くて。大人の中で育ったから、ませてて、人の機微とか見てしまうところがあった。言いたいことがあるんやけど、言うと反抗的だと思われて、怒られる。「そんなんと違うねん」って言うんやけど、子どもだからうまく表現出来ない。だから、絵に描いて自分の気持ちを表現するっていうか。

それがりんごやったんですよ。私を癒してくれるのが。りんごを見ると、落ち着くっていうか、りんごはそのままで「私よ」って言っているみたいで。あの人ちょっと変やなって思われるぐらい、りんご好きやってん。学校の帰りに「あおもりや」ってゆう果物屋さんがあって、いつもお小遣いで、りんご1つとか2つとか買って。

今もりんごはよく題材にします。自分がこれって決めたひとつのもの、例えばスプーンとかりんごを媒体にして、色や形、置き方で自分の思いを表現する方法で描いているの。

――旦那さんのご病気がきっかけで、ギャラリーを閉められました。

夫が単身赴任先の東京で病気になって、「これではあかんわ、命の方が大切やから」と思って、ギャラリー閉めて東京に行ったんですよ。

私ね、東京はじめて行った時、自由が丘がすごい気に入ったんです。「ここでギャラリーを探して個展するんや」言うて、誰も知らないし、人来てくれないから、駅のとこがええわって思って、駅のカフェのギャラリー借りて、私と主人と2人で「りんごの展覧会」をしたの。めちゃ楽しかった。

12年東京住んで、大阪住んで、最終的にここ帰って来てん。7年前に夫が脳梗塞になって、大変なこともあるけど、私たち、人生結構楽しんでる。

――楽しく生きるコツってありますか?

夫は色んな本を読んで、首から上はすごい成長して若返ってはる

#07

んです。成長っていうか、イノベーションしてはるから、すっごい面白い。

いつも2人で、音楽のことや、政治のことや、絵のことを、夜にワインを飲みながら話してるんやけど、めっちゃ楽しいよ。夫はちょっと普通の人と違う感覚で、みんなに「変わった人やな」って言われてはる。でも、私は、もっと言われたらええやんって思うんだけど。面白がって生きないとあかんやん。人に気を遣うのも大切なことやけど、変な気を遣っても良くないしね。

私の好きな、座右の銘は「身を捨ててこそ浮かぶ瀬もあれ」。ワーワー言って、もがいていたら、もーってなるけど、もうええわって力抜いてみる。我を捨てて調和していくって言うのかな。我も大事なんやけど、何事にもとらわれずに精神的に自分をコントロール出来たら、生きやすくなるって言うのかな、なかなかそれは難しいことやけど。

引っ越して、その土地に馴染んでいこうとすることが、すごい勉強になる。一定のところにいるのもいいかもしれないけど、色んなところ行って、いろんな生活してみるのも、いいのよ。

――生活を変えるのって怖くないですか？

失敗してもいいやん。失敗が成功のもとって言うからね。やっぱり出会いってすごい。良い出会いが出来たら、人生が変わるから若い人たちにたくさんいい出会いをして欲しいな。若い人にはもっと海外に行って、冒険してほしい。

私は、海外生活をしたおかげで、苦労もいっぱいしたけど、既成概念にとらわれない考え方にしてもらえたのが良かったんかなと思ってる。

最近は、お台所でお料理したり、何かしてる時、ふと外を見てたら、アートを思い出して、やりたいなって思うけど、やり出すと、1日の流れがとまってしまうから、今はちょっとストップしてるの。夫が病気して、お世話してあげなあかんし、今結構忙しいんです。でも、大変なことも多いけど、それも含めて面白がって生きてる。私の生活自体が、アートなのよね。

Gallery n cafe
SPOONS
'94 Water color Peinling class
EXHIBITION
1994.4.23(SAT)~4.30(SAT)10:00~19:00

SPOONS
展

つながるギャラリー

「オフィスーコシキ」とカフェ「スプーンズ」が入るガソリンスタンド跡の建物のリノベーションをお願いした、清水建設工業の清水さん。「福祉事業所のイメージを変えたい」「『ここで働きたい！』と思ってもらえる場所にしたい」という私たちの想いを具現化してくれました。

08

せっかくこだわった家を作るのなら、
衣類や身につけるもの、体に入れるものにも
こだわって欲しいと思うんですよね。

清水　章智（しみず　あきのり）
建設会社「清水建設工業株式会社」取締役

#08

清水　章智（しみず　あきのり）
建設会社「清水建設工業株式会社」取締役

――清水建設工業が目指すのは、どんな家づくり？

衣食住をトータルに提案できる家づくりをしたいなと思っています。それに特化するために、「清水建設工業」という名前では堅いので、家づくりもしていることを分かりやすくするために、新ブランド「ＣＯＷＨＯＵＳＥ」（カウハウス）を立ち上げました。

「ＣＯＷＨＯＵＳＥ」は「１００年受け継がれる家づくり」をコンセプトに、家で過ごす時間を楽しんでもらえる生活空間設計を、デザイナーや設計士と共に提案しています。デザイン性が高いことはもちろんなんですが、今後は、「衣」「食」の提案もしていきたいと、服飾業界の仲間と準備しています。

衣食住の「住」は住宅というハード面に目が行きがちなんですが、ソフト面の「住まい方」という意味合いもあると思うんです。せっかくこだわった家を作るのなら、衣類や身につけるもの、体に入れるものにもこだわって欲しいと思うんですよね。「住まい」の面では、家をもっと好きになってもらえるように、施主さんにＤＩＹしてもらう部分を作ったりしています。衣や食の提案はこれからもっと深めていかなあかんのですけど、住む場所と、毎日着るもの、食べるもの。それぞれ、みんなに「こんな暮らしをしてみたいな」と思ってもらえる提案をしたい。アパレルや飲食携わるのも、家づくりへの入り口を増やすことで、僕らの仕事を発信していきたいと思っています。

――家業を継ぐというのは、昔から考えていた？

子どもの頃は、父は帰りも遅かったし、仕事を手伝ったりの記憶もそんなに無いんですが、高校に入って、進路を決めるときには、建築学科しか考えてなかった。進路についても、親から特に強く言われたことはなかったんですけど、嫌々とかではなかったですし、この道に入って良かったと思っています。

うちの会社は昭和42年創業。親父は親父のやり方でやってきて、僕は僕なりのやり方で継続出来たらと思っています。１００

＃08

年以上の会社にするという目標が僕の中にある。

家の着工も減り、淘汰される時代に入ってきている中で、生き残り選ばれる会社にしていきたいと思っています。

将来、「継ぎたい」って2人の息子から言ってもらえるような会社に成長できていたらいいな、とは思います。自分の夢を目指してもらうのが一番なんですが、それが僕の夢と重なるといいなと思い、たまに現場に連れて行ったりして、刷り込んでます！

建設会社「清水建設工業株式会社」

滋賀県大津市長等 3-1-28
http://shimiken-co.jp/

「COWHOUSE」

https://www.instagram.com/cowhouse2016/

つながるギャラリー

雑貨屋「つきもも」店主兒玉さんとは、地元で開催されるマルシェの出店を通じて知り合いました。カフェ「スプーンズ」の看板や席札を作ってくれたり、カフェスペースでイベントの企画運営をしてくれたり、ものづくり、ことづくりを一緒に楽しんでいます。

09

大切にされたものを伝えたい。
アンティークになるものを作りたい。
お買い上げいただいた時点で半分その方のモノになる。
そしてその人の人生の傍らに
そっと寄り添って生きていくような。

兒玉　緑（こだま　みどり）
雑貨屋「つきもも」店主

#09

兒玉　緑（こだま　みどり）
雑貨屋「つきもも」店主

――つきももではどんな商品を扱っていますか？

アンティーク（古さ）とノスタルジック（懐かしさ）が感じられるような雑貨を販売しています。
お客様は、ヒトと違うことを楽しんで生きているような方が多いですね。

――いつぐらいから今のようなことを始めたんですか？

17年間カッチカチの会社員をしていました。14年前に、ちょっと忙しすぎるなあと思って辞めたんです。そのあと職業訓練校に行ったんですけど、そこでいろんな人に出会ったんですよね。一本の木から仏像彫ってる女の子とか。仕事はずっと続けなあかんと思っていたから、辞めてもこんなにいろんなことして楽しんで生きてる人がいるんだって思って、世界が拡がったんです。

―なんで今のようなことを始めようと思ったんですか？

その仕事辞めた頃からかな、友人と二人で、朝6時頃からゴミ置き場に行って、物色してたんです。大型ゴミの日に。もちろん、資源ゴミ以外ですよ☺ 家具やら何やらいろいろありました。楽しかったですよ。ちょうどそこにディスプレイとして使っている机も当時拾ってきたものです。古いものってね、大切にされてきたものだけが残っているんです。捨てられているんですが、「役目を終えてそこに居る」みたいな。使った人、作った人の感情が、モノに映って、それぞれに物語があることを感じられるものを扱いたいと思っています。そんなことを考えていたら、「古物商がしたい」「残るものを作りたい」って思うようになったんです。大切にされたものを伝えたい。アンティークになるものを作りたい。お買い上げいただいた時点で半分その方のモノになる。そしてその人の人生の傍らにそっと寄り添って生きていくような。

#09

――古いものが昔から好きだったんですか？

記憶では、高1の時にクラッシックカーの「スバル360」を見てフンガフンガ言ってました。「ええなぁ、この金属の感じ」とかって。友達は、誰もそんな、スバル360とか分かってないし、サビとか、ペランとした板金がとか、そんなのが良いって言ってても分かってもらえないし。でも、古本も好きだったし、古い映画も見てました。化学薬品が入ってた一斗缶とか、丸缶とか蓋の形状とかもいろいろあって、いいデザインのラベルだな～とか。そんなんも楽しめるんですよ。

――どうしてマルシェのようなイベントを手がけはじめたんですか？

最初はフリーマーケットに出てみたんです。でも、なんか違うな～ってなって。古いものも単なるリサイクルじゃないし、作ったものはやはりフリマではない。だから、自分達に合うようなイベントを友達と一緒に考えてやり始めたのが、イベントを主催し始めたきっかけです。小さいイベントから大きいイベントまでいろいろ参加もするし、骨董市とかは、当時は女性が参加しにくい雰囲気もあったので、仲間と一緒に女性向けの骨董市も開催して、これはかなり大好評でした。

――作品づくりもされていますが、どんな作品ですか？

かぶら姫っていう手に乗るサイズの人形なんですが、沖縄の友人がやってるホテルのお土産を作りたいと思って始めました。こけしが好きだったんだけど、削るの難しいので、粘土で。最初は単なるお土産のつもりで作ってたんだけど、「見てたら癒される」って声があって、すると顔が変わってきたんですよね。「ほっこり」してもらおうと思って描いていると、誰かの役に立ってるんだと嬉しくなってきて。

――古道具屋、イベント主催、作品制作……。共通している「もの」って、ありますか？

09

結局のところ、自分がやりたいってことをやっているようで、誰かの役に立てば、誰かの気持ちに答えようと勝手に動いているだけなんだろうと思います。

――今、どんなことにワクワクしますか？

モノづくりをしている若い作家さんたちが、滋賀で頑張ろうと一所懸命な姿を見ていることかな。少し前までは、滋賀を諦めて、京都や大阪、中部とか外で活動するようになっていたんです。でも今の若い作家さんたちは、滋賀をまったく諦めていない。滋賀で頑張って、滋賀のシーンを盛り上げようとしている。それが嬉しいんですね。私、「廃業」するのが目標なんです。満足だ！ってイベントや、お店ができたとき、「喜んで廃業したい！」って思うんです。それまで、若い作家さんの動きからも学ばせてもらって、一緒に滋賀を盛り上げて、満足して廃業したいです！

雑貨屋「つきもも」

滋賀県大津市大江１丁目 18-11
open 11:00〜17:00 ／ close　日・月・火・水曜日
https://www.instagram.com/zakka_tsukimomo/

つながるギャラリー

カフェ「スプーンズ」の2階へ上がる階段には、「会話がごちそう」という言葉が飾ってあります。植田さんの個展を開催したときに、展示した作品のひとつ。コロナ禍の今。小さな声だとしても、誰かと共にするわずかの時間が本当にかけがえのないものだと感じる。そんな言葉です。

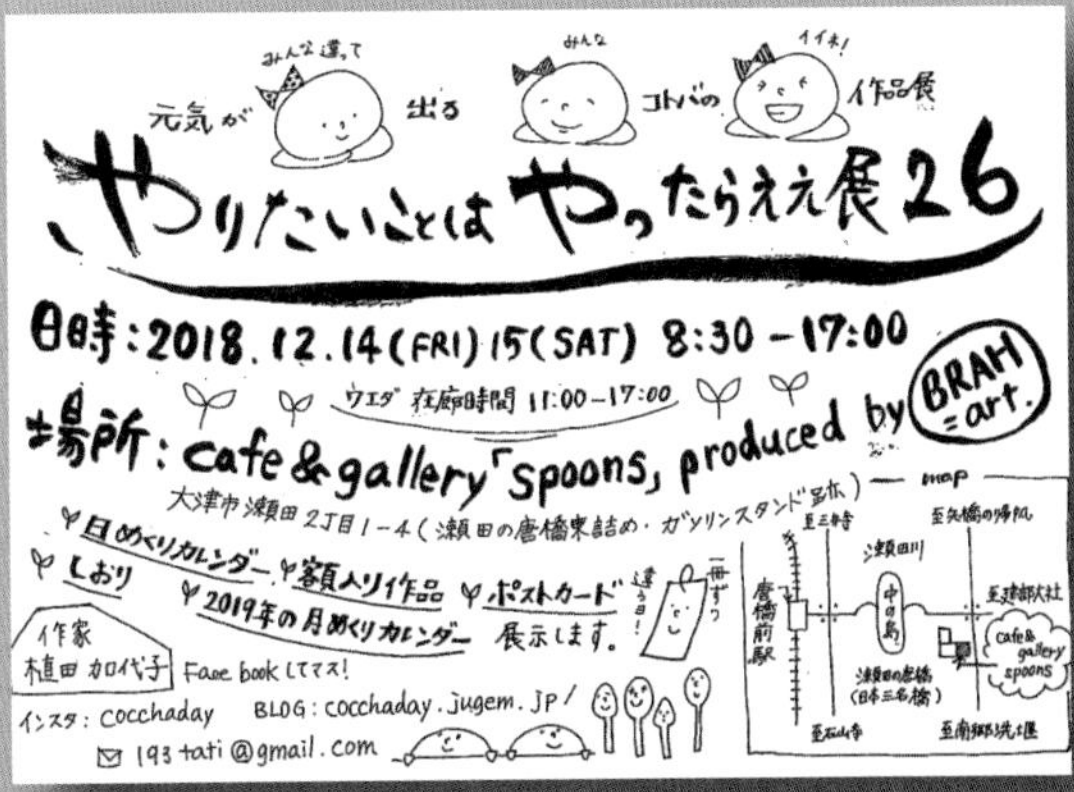

＃10

「あんたやったら出来るわ！」って
誰か一人でも言ってくれはったら、
きっと出来る気がするねんな。
だから、私はその一人になりたい。

植田　加代子（うえだ　かよこ）
言葉を贈る人

#10

植田　加代子（うえだ　かよこ）

言葉を贈る人

―心に響く言葉を集めたポストカードや日めくりカレンダーを販売されていますね。誰かに言葉を贈るようになったきっかけは？

20歳ぐらいの時かな。人生にどうして生きていこうと悩んだ時に、すごいしんどかったから、言葉に救いを求めて、色んな本を読み漁ったりとか、朝まで飲んで色んな人の話聞いたりとか☺ それをして、なんか言葉が、すごいたくさん集まってきて……

―それを書き残したりして？

そうそう。最初は、あの言葉、あの人に贈りたいなぁ、でもあの言葉…思い出せへん、何やったっけーっていう、煩わしさがあって、じゃあ書き留めといたら、そん時に贈れるやんっていうのがあって、なんか人が困ってはる時に、あ、この言葉、これこれ…と書き溜めた中から贈ったりするようになって。

――贈るようになったきっかけは？

一番仲良い友達が結婚して東京に行くっていうんで、絶対寂しいやろうし、言葉の力はすごいって感じてたから、単行本サイズの無地の本に書いて、贈ってあげたん。そしたら、すごい喜ばはってん。

それで、人の記念日や誕生日とか、しんどそうな人に贈ったりして。その時は、商売とかじゃなく、プレゼントしていて、「仕事にしたらいいんちゃう」って言ってくれはった人がいて、日めくりカレンダーを提案してくれはって、それから書き始めたんかな。

最初はやっぱり、販売するのがおこがましいと思ってたから、あげまくってて。なんか、この人頑張って欲しいっていう、お店の人とかに配ったりとかしてたら、そこで見てくれはった人が、また頼んでくれはったりとかして。

#10

──字を描くのが好きだった？

全然。誰かを元気にするためだけ。書くのが好きとか全然なかって…。

あ、でも、素敵な言葉に出会うと、字に起こしたくなる。「なんて素敵なこと言ってはるんやろー」っていう感覚になって、字に起こすのが気持ちいい。それを見て救われる人がいるんやったら、嬉しさ2倍みたいな感じで書いてるところがあるかな。

私、もともと人に会う時に、会ってもらってるっていう気持ちがあって、何かプラスアルファがないと、申し訳ない気持ちになって。だから、そういうのも、あったかもしれへん。何かしてあげな、せっかく会ってくれはったし、みたいな感じの……。だいぶ最近はなくなったけどね。ちょっと自信のない部分を補ってた部分もあるかな。

──なんでそんなに自信がなかったの？

小中高ぐらいまでは、自信満々やったんね。そのまま、大学行って、卒業して、ちゃんと正社員になってって言うのが、当たり前やと思ってた。フリーターなんてありえへん、何やってはるんやろこの人らって思っててんけど、大学辞めて、自分が最もなりたくなかったフリーターになった。「わぁ、私、何やってんねんやろう」みたいな感じになって、すごい落ち込んで、今後どうしていったらいいんかなって感じになって。

そういうことがあったからこそ、言葉を書き留めたし、だからマイナスの部分がプラスに働くってこういうことなんやなって最近すごい感じる。

挫折とかって、めっちゃ大事。苦しい思いして、悲しい気持ちになったりとかして……。

——もっと自由に生きてきはった人なんかなと思ってたから意外……。

だって両親二人とも会社員やったし、ずっと「会社入れ」っ

10

て言われてたし、「そんな生き方理解できひん」ってめっちゃ言われた。「何やってんねん、お前は……」みたいな感じで。でも、私はそうじゃなかってんな。「見とけよ、お前らに出来ひんことやったるわ」みたいな感じで思ってた（笑）

──お客さんはどんな人が多い？

やっぱり自分の手で書いたものって魂宿るねん。だから、ほんまによう似た経験しはった人とかが、手に取ってくれはることが多い。ほんま苦しい思いしてる人達が、「私しんどい、私なんかだめ…」って悲劇のヒロインじゃなくて、「これを糧に私はのし上がりたい」とか、「私頑張りますわ！」って思う人が多いから、逆にパワーもらえる。なんか絶対、見えへんもんが出てるんやろうな。自分で言うのもなんやけど。

──言葉を贈ることで、こうしたいなというのはある？

自分で何かしたいなって思う人の背中を押したりとか、あんたやったら出来るわ！みたいな感じのパワーを送りたい。「あんたやったら出来るわ！」って誰か一人でも言ってくれはったら、きっと出来る気がするねんな。だから、私はその一人になりたいと思って、カレンダーを書いてる。

でも、なんか書くことが、言葉を贈ることが、メインになってるけど、実は何でもよくて、整体で元気になる人もいれば、介護とか、そういう支援で元気になる人もいたらいいし、ご飯食べに行って元気になってもいいし、元気になる方法は私は何でもいいと思って。出来る範囲の中で人を助けて、その人がまた誰かを助けたら…、親切が広がっていくんちゃうかな。なんか出来ることないかなぁって言うのを、ひとりひとりが考えたら、すごい色んなことが出来るし、いい世の中になっていくんちゃうかなーって、世界のことを考えてる

――これから、どんな言葉を書いていくんだろう？

#10

だんだん変わってきた。ほんまに。若かりし頃のイケイケゴーゴーな時の言葉は、すごい薄っぺらく感じるようになって、なんかもっと奥にあるようなものを求めるようになったし。あと、相手が見える作品やから、やっぱりその人に当てはまる言葉を選ぶようになって、やっぱり全然違う。年配の人、若い人、同世代とか、こんなに変わるんやって。人によっても違うし。この言葉、あの人に響かんわ、これも響かんわ、これも響かんわ、あいつ心狭いなーって（笑）

これもいいわ、あの人これもいいわ、あれもいいわ…、あの人キャパ広いんやわって気づいたりする。書いてて。素直なんやなって（笑）

私、会話も大事やと思うねんな。こうやって話してるうちに、あ、そうやったなとか、そんなん思ってたんやって気づくし、会話のきっかけにも使って欲しい。「わ、この言葉ええ感じやな」とか、会話がどんどん広がっていくと、その2人の絆も深まるし。

私、疲れてる時とか、自分で書きながら、「そんなことないし」

「きれいごと言いやがって」とか思いながら書いてるときある（笑）
でもやっぱり元気な時は、そうやなーって素直に思えるし、なんか心のバロメーター、元気のバロメーターを測るためのものので、カレンダー書いてるのもある。

――これからどうなっていきたい？

これからは、求められたことを淡々と書き続ける。やっぱり自分がやりたいことを提供しても、相手の思う事じゃないこと多い気がする。だから相手が求めてくれはったことに応える。それを待つために、私は淡々と書き続ける。

今、めっちゃ書きたくて。でも、子どもが小さくて、書く時間がないから、仕事めっちゃ溜まってるねんけど。でもその、うーーって気持ちを、いつか爆発させられるから、今、貯めとこうと思って（笑）

今日も1日
頑張ろうかな
と思える
日めくりカレンダー
一日の終わりに
今日もよくやったよ。
と自分に
感謝する。

Real Life
vol.166 2020.11
自分の幸せポイント
お茶の時間
傷ついた心に応急処置を。

「植田　加代子」
https://www.instagram.com/cocchaday_kayo/?hl=ja
撮影場所：「tento 10」

つながるギャラリー

大津市の瀬田地域は、古くから漁業で栄えた町でした。カフェ「スプーンズ」では、琵琶湖の固有種「セタシジミ」を使ったお味噌汁を提供しています。近年、その漁獲量は著しく減少しているそうです。瀬田町漁業協同組合の吉田さんは、様々な角度から、琵琶湖の環境保全に取り組んでいます。

＃11

みなさんに知ってもらう。
特にこの瀬田川の最高ロケーションを、
やっぱし全国的に知ってもらいたい！

吉田　守（よしだ　まもる）
瀬田町漁業協同組合　組合長

#11

吉田　守（よしだ　まもる）
瀬田町漁業協同組合　組合長

――漁業はいつ頃から？

うちは親父が漁師していたから、小学生の頃から、ずっと船に乗って、高校ぐらいまで親と一緒にやってた。だから、遊び盛りの時に、友達と一緒に遊んでる時より、親父と漁に行ってた時の方が多かった。あんまり、遊びに行かせてもらえへんかった。

小学校1年ぐらいの時に、船に乗せられてな。忘れもせんけど、漕艇場の沖合でバーッと放りよんねん。ほったら、必死になって泳がなあかんねん。それでまず、水に慣れさす。なんかあった時に、助けてくれよるわけや。そういうスパルタ教育。それで、船に乗る恐怖感とか、そんなんがなくなる。

あとは、旅館に来たお客さんの、「あみ舟」ってゆうて、舟遊びの舟の手伝いや。うちが、瀬田川であみ舟を初めてしはってん。四代前に。まぁ、小さいときから、そうゆう風にして船に慣らして、で、親父がシジミとったら、わしが大きさ見て選別する。助手や。今度はともとり言うて、わしが後ろで舵をとる。

親父が前で魚を獲る網を打ちよるわけや。子どもはなかなか網なんて打たしてもらえへん。ほんで、中学ぐらいに、小さい網こしらえて、自分で投げる練習して、なかなか船で出来ひんから、岸からあっちゃこっちゃ行ったりして…。結婚してから、22、23歳ぐらいからかなぁ、商売用の網で投網の練習したんは。大きいわな。18畳敷き。

船の上でね、揺れて安定していないところでやで、打たなあかん。岸でなんぼ上手に打てても、船ではなかなか…。親父に後ろで舵取りをやってもろて、ほんで教えてくれるわけよ。打つときはどうもないんやけど、打ってから後、力が返って来るやろ、その時にふらつくわけや。ほんで2回ほど川にはまってるわけや(笑)

そういう風にして練習してね、やっと、そうやなぁ、25歳ぐらいになったら一人前で網打ってたわけよ。

――それからずっと漁師ですか?

#11

こんな漁業やってたらね、収入あらへんし、生活できひんわ。もう、サラリーマンにならへんとゆうて、電電公社入ってん。高校はなんとか行けたら、御の字やって。お金はないし、大学行く余裕もないし、はよ働けって。働いたら、親の手伝いの漁業はほとんど土日しかあかんわな。平日は、仕事やから。平成18年に退職するまで、42年間。電電公社からNTTに変わって、民営化になって。ほんでまあ、親父の後を引き継いで漁師になった。

――NTTにずっとおられて、漁協の会長っていうのが、なんか結びつかないような感じで。

色々、経験もしてるし、知識もあるし。親父の同期ぐらいの漁師から「会社辞めたらすぐに役員してくれ」って頼まれた。休みの日は親父の手伝いしてたから、中身は皆分かってるさかい、引き受けた。親の跡継ぎやから、ちゃんとせなあかん。自分の知ってることは全部出して、反映させていく。経営とか、人との対応とかそういうことは経験がなかったら出来ひんねん。前任までは、マスコミの取材は、一切受けはらへんかった。でも、私は出来るだけ、全部受けて行こうと。新しくやることを広げていく。今やってる、瀬田川流域クリーン作戦もそう。

――瀬田川流域クリーン作戦って何?

最大100人ぐらいの人を集めて、浮遊ゴミを回収する。水中の外来の藻、カナダ藻とかを除去したり、湖底を耕うんしたり。全部除去しんと、根がはって、漁業も出来ひんような状態になるわけや。

――瀬田川の環境は変わった?

昔はな、瀬田の唐橋から、川底が見えるぐらいキレイなところやってたん。今はもう全然見えへんわな。ここ最近、ほんまに水がきれいになった時があらへん。子どもの頃は、朝起きたら、

＃11

浜行って顔洗ってたんよ。それほどきれいやっててん。洗濯物やらみんなしてはってん、川で。今はそんなんもうできひん。

　唐橋の上から飛び込んで、遊んで。それほどな、川遊びが多かった。学校から帰ってきたらすぐに川行って、シジミとって魚とって、遊んでいたわけや。勉強なんかなんもせえへんかった。

　今は瀬田川も、南郷洗堰で水をせき止めてしまって。我々が小さい時やったら遠浅でずーっとな、水もある程度流れとった。ここから泳いで、向こうへ渡るのに、流れてるからまっすぐ渡れへんねん。今はもう流れへん。

　１９７０年代から90年代の開発で下水が完備されたやろ、琵琶湖一円に。そうすると、下水処理水を流すために、滅菌処理しよるわけや。何が一番ダメなんや言うたら塩素。それが、いわゆる微生物、バクテリア、そうゆうもんを皆、殺してまうんや。そうすると、バクテリアから、順番に藻、小さい魚、大きいやつ…最終、琵琶湖で言うたらびわますとか鯉……。食物連鎖が絶たれて、魚がだんだん少なくなってきたんや。

レジャーの進んだ関係で、ゴルフ場がぎょうさんあるわな。そこでは、ものすごい量の除草剤がまかれてるわけや。それがみな琵琶湖に流れてくる。雪害で事故が起きたらあかんから、凍結防止剤、塩化カルシウムを撒きよるんや。それが直接琵琶湖に流れる。ものすごい量が撒かれるわけや。

琵琶湖は言うたら、掃き溜めみたいになってる。ほんま言うたらきれいな水を流さなあかんねんけど、そうゆう感覚がないねん。なんでもかんでも川にほかしたらええわゆう感じでほかしてしまう。

ゴミやとか、岸に上がってるやつでも相当ある。だから、琵琶湖でもマイクロプラスチックのものものすごい問題。鳥でも魚でも全部、それ食べてね、死んだりしてるさかい…。

——どうにか出来ないかな。そのために何が出来るかな。

まずはみなさんに知ってもらう。特にこの最高ロケーションを、やっぱし全国的に知ってもらいたい！そうゆうところから、

#11

やってる。

シジミ体験ゆうてね、中学生とか受け入れて、いわゆる伝統技術の継承を……というようなこともやっている。漁業者だけではあかんから、漁業者と地域の人と一緒になって、この川が、環境が良くなるようにやっていく。

シジミ祭りも、毎年やってる。今年はコロナで出来ひんかったけど。

一番大事なことは、やっぱり資源を豊かにすること。船乗って行って、シジミが獲れるというのが、次の世代にも続いていくこと。その喜びを味わえるようにしていかなあかんなぁ。

つながるギャラリー

朝市の出店者として知り合った「魚重産業株式会社」の今井さん。

カフェ「スプーンズ」のご飯には、今井さんが焚き上げた琵琶湖産ごりの佃煮が添えられています。

湖魚に関わる産業を盛り上げるため、同業種の若手を束ねる活動や、ユーチューブ動画の配信にも取り組んでおられます。

＃12

突拍子もない、奇抜なこともしていって、
「叩かれてもええやんか！」って、
商品はほんまもん作ってんねやし、
食べてもろたら分かる！

今井　崇人（いまい　たかと）
琵琶湖産鮮魚販売・加工「魚重産業株式会社」専務取締役

#12

今井　崇人（いまい　たかと）
琵琶湖産鮮魚販売・加工「魚重産業株式会社」 専務取締役

――魚重さんは、朝市や地元のお祭りなどのイベントによく出店されていますね。

そうですね、はじめは「この近所のお祭りやるから、ちょっと手かしてくれへんか」って声をかけてもらって、活魚を持って行ったんですよ。

そしたら、意外と子どもさんとかが、生きた魚を普段みたことがない子が多くて、すごい盛り上がった。僕らが子どもの頃は川遊びに行ったら、魚とかなんぼでもあったんで、結構普通やったんですけど、いまの子らってこんなんが普通じゃないんやって思って。それやったらもうそのまま食べてもらおうって。それで食べてもらったら意外と「おいしい、おいしい」って、子どもさんらでもすごい食べてくれはるんで、色んなとこ顔出したら、自分の会社の宣伝にもなるし、せっかくやったら、琵琶湖の魚とかそーゆーなん知ってもらいたいなと思って出だしたんです。

――創業から長いんですか？

ちょうど２０２１年の１月で１００周年なんです。１９２１年１月が創業ってことになってて、大正10年から細々と続けて来て僕で５代目。メインは卸です。料理屋さんや市場、業務売りのお店に鮮魚を卸したり、加工した佃煮など業務形態のものを持って行くというのがメインです。その傍らで小売りも。

――ずっとここで働いてる？

いや、３年間だけ、京都の病院で栄養士やってたんですよ。でも栄養士で食っていこうて思ったら、部長とか、教授とかそれぐらいにならんと、現実的に厳しいなって思って。ただ料理するのは好きやったんで、そういう仕事はしたいなぁって思ってたんですけど、家業継ぐなんて一切思ってなかったです。絶対継ぎたくないと思って、勉強して栄養士になったんですよ。だから、「絶対こんな魚屋なんて、ダサいしやりたくないわ！」

12

て言ってたんですけど、就職して、滋賀県出たら、改めて「滋賀県っていいな」って思って、次の仕事見つかる間「ちょっと勉強させて」って感じで入社しました。

　やっているうちに、意外と性に合ってて、そのまま続けていってるって感じなんです。一応肩書は「専務取締」なんですけどね、肩書は。何もせんむ……ていうやつです（笑）

　今入社11年目ですが、業界の中でいったら、ぺーぺーで、知らん事いっぱいあるんで、まだまだこれから勉強していかなあかんと思っています。

――今後のビジョンはありますか？

　いや、なんにもないですよ。とりあえず、やれることをやって、それからなんか繋がったらいいかな。

　ただ、時代も変わっていくし、伝統的なところだけを守っていっても、なかなかお客さんはついてこおへんのかなぁというのは、同世代のメンバーで話しています。突拍子もない、奇抜

なこともしていって、「叩かれてもええやんか！」って。商品はほんまもん作ってんねやし、「食べてもろたら分かる！」って言いながら、「おもしろいことやっていこうぜ」って、若手では言ってるんですよ。

だから、ユーチューブやったり、東京に出来た滋賀県のアンテナショップ「ここ滋賀」に頻繁に行って、鮒ずしの講習や、酒蔵とタッグ組んでお酒と鮒ずしでトーク対談みたいなイベントをしたり。お酒好きな人とか、発酵に興味ある人とか、とりあえず引き連れて。まずはたくさんの人に口にしてもらおうって言うてますけどね。

――若手にエネルギーを感じますね。

漁業、淡水養殖、水産加工の各組合の若手で、滋賀県水産後継者連絡協議会というのをやっています。といっても業界全体で若手の数はすごく少ないんです。漁師さんにも若手はあんまりいないですし。重要なところは残しつつ、自分らの形にリノ

12

ベーションしつつ、新しく楽しくできたらと思っています。

琵琶湖産鮮魚販売・加工「魚重産業株式会社」

滋賀県大津市逢坂一丁目 12 番 21 号
open　9:00 ～ 17:00 ／ close　日曜日・祝日
https://uoju.jp/

つながるギャラリー

漁業と共に、瀬田地域の産業を支えた舟遊び。かつての船頭たちがつくった「渡船組合」は、今は「瀬田川観光船組合」と名前を変えて、瀬田の文化を後世に伝える取り組みを継続しています。ブラフアートが運営する学習支援「ブレークスクール」に集まる子どもたちも、船に乗せてもらいました。漁船独特の水面の近さ。子どもたちの顔はもれなくキラキラと輝きます。

＃13

子どもらが私らみたいに瀬田川を好きなってもろて、
若い子らの柔らかい脳みそで、
ここが良くなっていくように考えてもらいたいね。

礒田　清一（いそだ　せいいち）
瀬田川観光船組合　組合長
髙橋　潔（たかはし　きよし）
事務局長

＃13

礒田　清一（いそだ　せいいち）瀬田川観光船組合　組合長
髙橋　潔（たかはし　きよし）事務局長

―瀬田川の観光船って昔からあるんですか？

礒田　大昔から「渡船組合」ってのがあって、昭和の30年代くらいなって、「瀬田川観光船企業組合」って名前になったんですわ。昭和40年頃から60年くらいが、川の遊覧船・屋形船のピークやったんやな。

髙橋　臨湖庵、あみ定、船岩、近江別館、いろんな料亭があって、そこのお客様が舟に乗って、食事をする。当時の遊興の場のひとつやったんですよ。

礒田　ピークの時はね、屋形船、約50隻あったんやわ。ＪＲの鉄橋から、南郷洗堰の手前の蛍谷にまで、土日やったら、それだけの船が浮いてたわけや。その他に投網船が12～13隻あったわ。ほんで投網船がそれぞれの屋形船を回って、お客さんの前で投網して魚を捕ってみせる。その魚を船の上で天ぷらしてお客さんに食べさせる。また次の船が行ってお客さんを乗せてって…。

髙橋　それがもう魚が獲れなくなってきたという経緯があって、だんだん衰退していって、いまや屋形船持ってるのはあみ定さんだけになってしまったんや。投網のほうは、漁業組合の仕事やったんやな。

礒田　そう。屋形船の運航がここの仕事や。料亭からな、手を振らはるんや、指を折って。「あぁ4人来てくれはるんや」とかね😊電話のない時代やで。せやけど、時代はかわり、みんなのレジャーの方法が変わってきたやんか。昔はこう船で半日なり遊んでよ、今はもう車で、どっか遊びに面白いとこ行ってよ、そんな形に変わってきたわな。そやから、みんな、歳いった人が亡くなり、ここが閉まって10年ぐらい、もうお化け屋敷みたいになったってん。

髙橋　ここね、もともと「橋番の小屋」ゆうてん。戦の時に敵の侵攻を防ぐために橋板を落とす。

礒田　昔はもっと狭かってん。橋の真ん中に、５m40㎝角ぐらいの落とし穴があったんや。膳所城からのろしが上が

高橋　ると、かんぬきを落とすわけや。大軍が通れへんように。門を開かんように、後ろ通すやろ？あれが、かんぬきや。横からな、引っ張ると、パサーッと板が落ちる。その、かんぬき棒っていうのを、まだ持ってはるお宅があるんや。瀬田にはそんな家があんにゃわ。

礒田　で、平成28年かな、10月ころに「この建物を復興しようやないか」と言うて、今いる7人で、再生委員会をつくろうかという話で、名前を「瀬田川観光船組合」として、ここの建物を有効利用しようと動き始めた。

――お二人は、代々ここで漁業関係の仕事を？

高橋　代々住んではいるけんど、全然。礒田さんはつい10年前までは建設会社勤めてはったん。僕は某繊維メーカー。

礒田　漁業に関わり始めたのはほんまに10年前。私が船の免許とったんは、38歳の時。瀬田川を工事で掘ったことあるんや。そんときに南郷から烏丸半島まで舟引っ張っていくわな。20メートルくらいのごっつい船。それを監視するために、月1〜2回走っててん。

――漁業関係だけではないという雰囲気は感じてました！何かきっかけがあったんですか？

礒田　バブルの時期やから、山の猟、射撃が流行ってたんや。ようクレー射撃やら、ライフル射撃行ってましたで。高くつくけどな。現役で仕事してたときは、自治会やとか何も関わらへんかったけど、定年前からちょっとずつ関わるようになって、地元の人に「山の猟やめたんやったら、川の漁したら？」って言われてな。その頃はまだようとれたんやシジミが。行ったら17〜18㎏。それが5年前くらいから急にとれんようになった。

髙橋　水質の悪化と、湖底環境が悪くなったんや。僕も始めたんが15年ほど前。ようとれたもん。

13

──理事の方たちって、もともと漁業者ではなかった?

高橋　ほとんどそう。自転車屋の店長、自衛隊、メーカー勤務、トラック運転手。専業の人は一人だけ。ただ、みなさん、瀬田のご出身ですよ。子どもの頃の瀬田川っちゅうのが原風景にあるわけですよ。僕らの原風景は、まさしくそれなんですよ。外に出たら、シジミ掻きの船がようけ停まってたとか、家の前に船があって、そこの生け簀には鯉がおったとか、それを獲ってたらおじさんから怒られたとかってゆう、子どもの頃の、ほんとの記憶の世界って言うのは瀬田川やから。ちょうどリタイアして、何をやろかなって思ってる時に、これこれ、これええなってっていう人は多いと思う。

──磯田さんは、このあたりにたくさんあるお地蔵さんにも詳しいとお聞きしました。

礒田　ここらのお地蔵さんはみな、川から上がったお地蔵さんやで。唐橋の橋守地蔵も。うちの家にあるやつは、おじいさんがシジミ獲りに行って、ごっつい石が網にかかって、下流に捨てに行ったら、またおんなじとこで入った。お寺さんに持っていったら、「これは石ちごて、お地蔵さんやから、あんたとこで祀ってほしいから網に入るんや」て。そういう経緯で、ここらは個人所有のお地蔵さん多いんやな。

髙橋　昔から地蔵盆もすごい。遠くから子どもらリュック背負ってお菓子もらいに来るやんか、4、5人で！

——この場所や、唐橋周辺を今後どうしていきたいですか？

髙橋　結局我々って昭和の世代じゃないですか。昭和の世代の人間の発想じゃなくて、それこそ平成の世代の発想で、こうゆう観光事業をどうしていったらいいかっていうのを、意見を聞きたいなって考えてて。2人とも70歳超え

#13

て、先行きそんなに長くないだろうと前提にしとかんと、次の永続性がないじゃないですか。

僕も息子が2人いて、まだ現役やねん。やつらもやっぱりここで生まれて育ってるから、「親父、船置いといてな、俺リタイアしたらやるからな」って言うとる。そやけど、それまであと15～16年は、まだまだ頑張りよるから。その隙間、50代かな、第二団塊の世代が狙い目になるかもしれない。あるいは、学生が課外でここへ来て単位が取れるような仕組みが作れたら、仕事を手伝ってくれるやろうと。大学や、まちづくりをしてる子ら、各方面と連携して、未来を描けたらなあとおもてます。何よりも継続性持続性を持ちたい。

礒田　そう。子どもらが私らみたいに瀬田川を好きなっててもろて、若い子らの柔らかい脳みそで、ここが良くなっていくように考えてもらいたいね。

「瀬田川観光船組合」

https://www.setariver-cruise.com/

つながるギャラリー

ブラファートの近くで長年、子育て支援を続けているNPO法人「あめんど」さん。私たちが運営する学習支援「ブレークスくール」の頼もしいアドバイザーです。ひとりのニーズに向き合うことから始め、事業全体のかたちを変容させていくスタイルは、私たちが心からリスペクトする法人の一つです。

#14

子どもの成長する姿を見られることが一番嬉しい。
たとえそれが、お金とか有形にならんでも、
お金では得られない対価でもあるかな。

恒松　睦美（つねまつ　むつみ）
NPO法人「あめんど」理事長
恒松　勇（つねまつ　いさむ）
理事

#14

恒松　睦美（つねまつ　むつみ） NPO法人「あめんど」理事長
恒松　勇　（つねまつ　いさむ） 理事

―「あめんど」はどんな活動をしていますか？

勇　元々は、保育園に子どもを通わせていた時に、気の合ったもん同士、自分たちで「保育」をやってみようという話になり、仲間に保育士がたまたまいたので、２００４年に認可外の「あめんど保育園」を始めたんです。子どもと関われる時期というのは、その時だけしかないじゃないですか。もし仕事とか生活に余裕があるんだったら、親たちが積極的に子どもたちと関わりながら見ていくのもいいかなって。最初は５人でした。

２０１１年にＮＰＯとしての活動を始めるにあたって保育園はやめたんですが、在園していた保護者達が、園がなくなっても今のようなことができないか？と言ってくれて、子育てサークル「プレスクールあめんど」を始めました。その代わり、従来のようなサービスは提供できません。お母さんたちもインターンのような形で保育士の横について、自分の子どもも、他の子どもも、現場で一緒にみてもらうことにしました。保育士がどのような声をかけるかとか、子育てっていうことをもう少し深く関わって知ってもらって、家庭での教育スキルを上げてもらえるように取り組みました。

――子どもたちとはどんなことを意識して関わっているのでしょうか。

勇　保育の現場って楽しいだけじゃなく、もう修羅場で、泣きわめくし、ひっかくし、大変ですね。中には、本当は心では泣いてるのにへらへらしたりとか、怒っているのに笑ったりとか、泣いているのに手が出てしまうっていう、喜怒哀楽というものが正しく表現できていない子がいるんです。だから、一番最初の理念は、「喜怒哀楽を正しく表現させる」と決めました。泣くときは泣いて、怒るときは怒れ、笑うときは笑ったらいいって。ここをはっきりさせとかんと、人格形成上、将来的によろしくないんじゃないかと思った。そういう風にすると、保育士はやっぱり大変ですよね。泣いてわめいて、そのままの感情を受け入れる訳ですから。
　二番目は「じっくり落ち着いて考えてみる」。三番目は「他人に必要とされていることを知る」。「必要」って言葉もね、何かの能力を求められるって意味じゃなくて、別に何もしてなくても、あなたがそこにいてくれるだけでいいんだよと子どもたち自身が理解するという意味。子どもたちには、それを頭の中に入れて、心に落とし込んで、成長してもらいたいな。

――子どもたちの成長とともに、理念も進化していったんですね。

勇　そうですね。保育園もしてたんですけど、2005年からは、フリースクール「まやっか」も始めました。私たち家族はカナダやアメリカで1年半ほど生活していたんです。帰国後1年間、長女を公立の小学校に行かせたのですが、彼女の中では、みんなが同じでないとダメな空気がしんどくてうまく通えなかった。そこに、在日ペルー人の子、発達障害が見え隠れする子の3人が加わって自分たちでみはじめたというか。教育委員会に交渉しながら、「認める」って言わんでもええから、黙認して！って。その後、カナダ人やベラルーシ人を含む何人かの小中学生が加わった。特に海外の子どもたちには漢字を学ぶよりも、親とゴールを決めて、その子に応じてカスタマイズした教育を提供しました。

――その子たちはどんな風に成長しましたか？

勇　例えば、うちの娘に関しては、小学校6年生になってから、「そろそろ帰るわ」言うて。中学に入ったら普通に通学して、生徒会活動に忙しくて、大学も行って、今

#14

は大阪の商社で働いています。他にもね、中学入ったら、たちまちブラスバンド部の部長になって、今では保育士。小学校の登校日数とか気にする人いるんですけど、履歴書にはそんなもん書きませんから！

　だから今、不登校の方たちいると思うんですけど、学校っていう場所じゃなくても、今ある時間をどう過ごすかによって、将来があると思うんです。学校っていう場が特性上苦手って子がいたら、別の安心できる、成長できる場所があれば、学校を卒業するとかじゃなく、もっと先の将来が開ける。価値観なんて、人それぞれ違うもんですから、そこを見て、親も安心して、今できることを着々とやっていくのがよろしいんかなぁと。

――子どもたちが生き生きするのってどんなとき？

睦美　学校ってね、みんなそこで生きて行かなあかんと思うんやけど、ある男の子は家でね、「ほんまは僕の意見ちゃ

うねんけど、あそこでそれ言うと浮くからさ、みんなに合わせて言うてみたら、失敗したわ！」みたいなことが、さらっと言える。「そこじゃないと生きて行けへん」っていうよりは、そこにいてやっていこうと思ったら、こうゆう風にやってみよう、ああいう風にやってみようみたいなのが、子ども自身で出来てくると強いですね。

それって結局何かっていったら、まずは自分を知る。俺なんかあかんねんっていうんじゃなくて、あこがれの自分でもなくて、本当の自分を知って、その自分を長所も短所も含めて受け入れることが出来ると、みんなやっていけるんやなっていうのが、すごく分かった。

ただ、子どもらに、自分を受け入れて自分を知れって言っても、無理なので、周りです。周りの人がその子の本当のその子っていうのをきちんと見て、それを受け入れていく。周りがしてくれると、今度は自分が出来るようになって、そうすると、あぁこんなに生き生きしてく

#14

るんやなーみたいな。で、自分らもそうしてもらってる。私なんか欠けたもんばっかりなんやけど、それでもいいかって、子どもたちに受け入れてもらって（笑）

勇　ここの雰囲気がそうさせるのかもしれないけど、いろんな人達がどんどん変わっていく様子、それを見られることに、喜びを感じる。子どもの成長する姿を見られることが一番嬉しい。たとえそれが、お金とか有形にならんでも、お金では得られない対価でもあるかな。

NPO法人「あめんど」

滋賀県大津市野郷原2丁目3-7
tel　077-532-3681
http://npo-amendo.org/

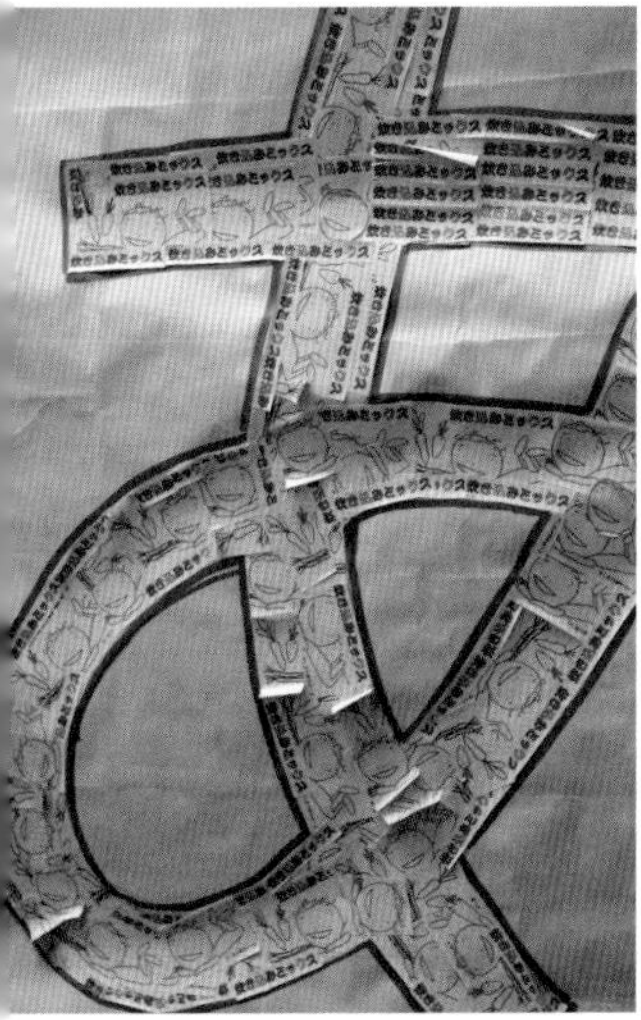

つながるギャラリー

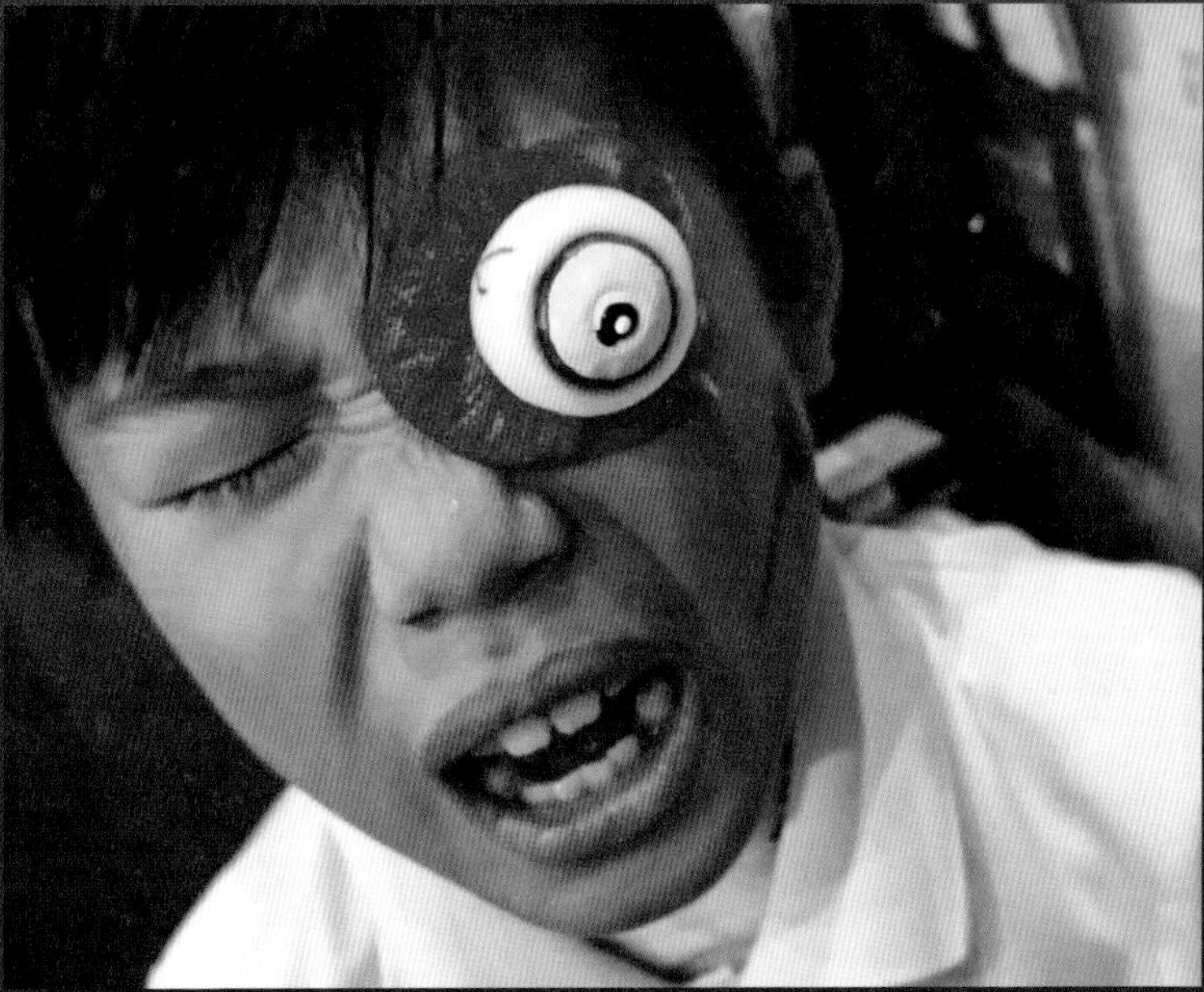

毎朝、小学校の前で子どもたちの交通安全を見守る松井さん。ブラフアートが運営に参加する近隣の子ども食堂「せたこどもｃａｆｅ」に集まる子どもたちの顔を一番よく知っているのも松井さんです。松井さんの顔をみると、子どもたちの顔が和らぎます。

#15

子どもらに声かけてなんやしてると、
子どもらに元気をもらえるから、
それが僕の励み。

松井　幸男（まつい　ゆきお）
子どもの日常を見守る人

OFF ROAD
BIG POWER

＃15

松井　幸男（まつい　ゆきお）
子どもの日常を見守る人

――松井さんは、いつから子ども達の見守りをされてるんですか？

66歳の秋から。そやから丸8年超えてます。退職して暇やし、犬連れて散歩してたら、交通安全協会の知り合いがおって、「お前こんな時間に何歩いてんねん」って言うたさかいに、「仕事辞めて家内も死んであれやし、犬だけ置いといたるのも可哀そうやからうろついてるんや」って言うたら、「ちょうどいいから、安全協会の仕事とスクールガード、両方やってくれ」って言われて。それがスタートですよ。小学校でも丸8年超えてるけども、休んだん1日だけ。姉の四十九日の時に。いまだにそれ守ってます。

――地域の子ども食堂「こどもcafe」にもボランティアに通われていますね。

子ども食堂やってる人に「お前来たら子ども、よう知ってるし、喜ぶから、来たってくれ」いわれて。ほんで、行かしてもうてる。子どもたちにも、もし申し込んでへんかっても、「友達が行きたいって言うとるさかい」って聞いたら、行けって言うてる。

――子どもの顔を覚えてるのはもちろん、親子さんの顔まで覚えていて驚きました。

迎えに来た親に声かけるしね。子どもと親のパイプ役やと思ってる。1年上がったら子どもたちは成長してきて、こんな色んなことやり出してくれたでって言えるさかい、それを言うてあげようと思って。そやから、親御さんもそれで、ある程度安心してくれる。「おっちゃんがおったら見てくれてるやろう」言うのがあるさかいに。で、「怒ってや」って言われるから、親から言われた子やったら怒ってるもんな。僕の場合、上品に喋るのが出来ひんさかいな！子どもと大方毎日出会てるさかいに、余計に。

――みんなマスクして、ややこしい時期やったけど、休みじゃない日は立ってはった？

#15

そう、ずっと。ずーっとやってるし。幸いなことに、僕は小学校の前に立たせてもうたお陰で、小学校の入学式、卒業式、運動会なんやらでも、皆呼んでもらえる。普通スクールガードだけやったら呼ばはらへんねんけども、正門だけスクールガードの代表みたいな形で呼んではるんやと思うねん。他の人は皆どっかのなんやらの長ですやん。皆、肩書を持ってはるけど、ほんまに肩書がないのは僕だけ！

――子どもらと接するとか、子どもらの安全をとか、そういうところに、なんか想いがあるんやろうなと思って。

やっぱり、子どもが好きなんかなぁ。好きでなかったら、多分出来ひんと思うし、色んな子に声かけるゆうことも。

――松井さんもお子さんや、お孫さんがいはるんですか？

孫ないんです。家内が僕の64の時に亡くなったさかいに、そっからまだ2年間は仕事行ってたんやね。でも犬が可哀そうやと思て、年金がもらえるようになって、なんとか無茶さえせえへんかったら、生活出来るわって分かったから、ほんでもう辞めてしもてんや。

ほんで、朝立たせてもらってて、子どもらに声かけてなんやしてると、子どもらに元気をもらえるから、それが僕の励みで…。みんなに、「いつもおっちゃんありがとうな」とか言ってもらえたら、それが嬉しいから。

――今の子ども達がね、ここでどんな風に育っていってもらいたいですか？

やっぱし、みんなとの触れ合いが出来る場所を出来るだけ作ってあげたい。そやから、祭りでもいっぺん、建部大社（地域の神社）さんの方にも言わなと思ってるんやけど、障害者の人も何かの形で参加できるようにしたって欲しいなって思ってるんやけどね。自分らも参加できたっていうので喜んでくれるやろうし！　この前初めて知ったんやけど、健常者や思ってても、違ごてた子いてますやんか。見た目は分からん子はぎょう

15

さんいてはるさかいに、そうゆう子をいかにみんなの中に入れてあげることができたらなと思ってるんやけど。僕の力みたいのは、しれてるけども。みんなの仲間に入れるっていうので楽しみ持ってくれる場合もあるやろうし。ブラフアートさんらが一生懸命、こないしてやってくれてる、その一部だけでも、なんか出来たらええなと思ってるんやけども。また出来ることあったら言うてや！

の目を

「障がい者アート、アウトサイダーアート、ボーダレスアート、アールブリュット…。そもそもアートにボーダーなんてあったのかい?」

京都のNPO法人「スウィング」と合同展覧会をしたときのこと。「スウィング」理事長木ノ戸さんが書いたのが、冒頭の言葉でした。滋賀県や県内施設は「ボーダレスアート」や「アールブリュット」を推奨し、牽引してきた。そんな中で「アートにボーダーなんてそもそもあるのか」と疑問を投げかけたひとこと。私たちが目指す世界は、そのなかにありました。

＃16

猫ともフェアでありたい。
それで毎日戦ってる。
難しいよね。
やっぱり、「人間強い」を発動してしまうんやね。

木ノ戸　昌幸（きのと　まさゆき）
NPO法人「スウィング」リジチョー

美化戦隊
THE AMERICAN CLERK
Swingy

#16

木ノ戸　昌幸（きのと　まさゆき）
NPO法人「スウィング」リジチョー

――「スウィング」ってどんな活動している団体ですか？

最近、ここは何をしてるところですかと聞かれることがよくあるんです。それに対してね、僕じゃなくって、スウィングのスタッフ、メンバーが答えられなくて口ごもるのを見るんですね。それが正しいなと思ってて。説明ができんだろうなって思って見てますね。それは僕自身もそうで、**説明ができないですね。むしろそうであることを大事にしているので。**

どんなとこって言われると、アートとかNPOとか、すごい便利な言葉を使ってしまいそうになるんです。僕たちの周りにある言葉ですが、カテゴライズされている言葉は、すごく敷居が高いのばかりで使いにくいんですよね。

だから、できるだけ説明をしないようにしてきたし、説明のできないようなことをしてきたんですけれども。結果として、当然説明ができなくなってるっていうね。

でも、「仕事をする場所」っていうのは言ってますね。内部的に一番強いかな。スウィングは仕事をする場所であるというのは、大事にしています。

——うーん。この本をはじめて読む人には、わかりづらいかもしれません。

これをね、どうしてもまとめなあかんのやったなら、対象者とかその場所に応じて、やはり頑張って説明するんですけどね、まあほとんど無理やり言葉をこしらえて、通じる言葉に変換して伝えることがあるんですけども、それをしないで済むんであればしたくないし、できないんですよね。

おじいちゃんに説明するときはね、NPOは一応通じるんですよ。NPOやってるとか、芸術的なこと、障がい者福祉、まあだからそういうことになりますね。

昔はね、障がいのある方が生きやすい社会を作るとか、障がい者への偏見とか、差別を解消するんだとか。そういうことをスウィングの行動指針みたいなものにしてましたし、今でももちろんしているんですけど。

最近、それがある程度達成されたように勘違いするところが

＃16

あって。スウィングの中というかその周辺ではね、本当にそういうのがないんですよ。もう。「あれ、この目標もういらないな」って、そういうことを感じる数年間。びっくりする展開なんですけど、でも同時に「世の中はそんなに変わってない」って言われることも増えてきて、改めてどういう土台を持たなあかんのかなってぼんやり考えているところなんです。

目的という意味では、設立当初から、障がいのある人に限らず、そういう属性を持たない人も含めて、とても窮屈な世の中だと思うので、既存の仕事観や芸術感、既存の枠組みを解体して、生きやすい世の中、柔らかい世の中にしていきたい、と伝えることは一貫しています。「スウィング」という法人名の由来は「揺れる」とか「揺らす」だったりするので、既存の価値観を揺らす、という意味を込めての法人名だったりします。

――カテゴライズされている言葉を使いにくい、説明したくないのはなぜでしょう。

あらゆることをカテゴライズして簡単にしていく風潮に対して、いちいち違和感を感じてしまう。それはフェアさにかけるっていう。例えば、「障がい者」というカテゴライズをする時に、差別とか偏見という分かりやすくマイナスの部分が生じるのもそうなんですけれども、逆にね、例えば障がい福祉施設を利用する障がい者のことを「御利用者様」とか言っちゃうところがあるんです。御利用者様って。利用者に「様」付けて、更に「御」をつけてるんです。おそらく悪意はないんだろうと思うんですけど、僕は逆差別だと思っているんです。「障がい者アート」とか言われるものもそうですけど、持ち上げといて差別してんじゃん。差別?・区別? 特殊化ですよね。

「自分たちとは違う人たち」という、分断っていう意味では、一見プラスの評価、プラスの目線で弱者と言われる人を大事にしてるように見えるんだけれども、その実、すごく差別的だなって感じるんです。シンプルに差別はいけないことなんで。だからこそ、公平性に欠けるというふうに感じます。

僕は猫ともフェアでありたい。それで毎日戦ってる。難しい

16

よね。やっぱり、「人間強い」を発動してしまうんやね。そりゃそうやね。でもフェアでありたい。だって、その人…っていうか猫やけど、住んでるんやもん、同じとこにね。

今だと「社会包摂」であるとか、「共生社会」であるとか、ある種流行り言葉みたいになっていますが、そこにはいつも障がいのある人が入っているんです。つまり社会包摂の対象として。包摂しましょうって言ってる時点で、それは分断だし、上から下への目線なんですよね。共生しましょうも一緒です。共に生きましょうなんて、もう完全に優位性のある人間からしか絶対に言えない言葉なんで。もちろん、そういう社会を目指すことが理想やと思っていますが、そのロジックにある分断に気付かないような、あるいは分断を覆い隠してしまうような、そういうのはタチ悪いなって思うんです。露骨な差別とかではなく、一見良いような感じなので。「御利用者様」っていうのもまさにそう。すごい大事にしてるようで、すごい区別してるんです。他者化している。

ブラフアートが素晴らしいなって思ったのは、やはり障がいのある人がいるじゃないですか。その人達らが、自然っていうか、普通ちゅうか…。誰も特別になっていないっていうことですね。障がいあるなし問わずにね。

その普通であるということを、みんな理想としてるんですけど、なかなか、それが難しくて…。難しいちゅうか、普通なことを普通にしないから、難しくなると思うんですけど。つまり逆に言うと、特別にすることで、世の中を平にしていこうという向きが強いということですね。それでは違う。常に分断し続ける。あるいは分断された構造を強化し続けることになる。みんな何で普通にしないんだろって思います。

――「普通」のところから見ると、スウィングは「変わっている」ように見えます。

それは……そうでしょうね。変わってるように見えるっていうことは、すでに世の中のスタンダードとか、ベーシックというところがガチガチに固まってるんだなって思うんですよね。

16

例えば、芸術や表現ということに関しても、特別な人がやる特殊なことになっちゃってる。プロフェッショナルの専門家がいるのは当然としても、本当は誰だって当たり前に表現していい、はずなんですけど、すごくハードルが高くって、コミットしづらいどころか自分にはできないこと、やっちゃいけないことみたいなバイアスがかかっているなって感じるんです。

例えば、「ゴミコロリ」という活動は、全身ブルーの戦隊ヒーロー「ゴミブルー」になって、ゴミ拾いをするんですが、果たして、ヒーローには男前の若手俳優しかなれないのかっていうこと。誰だって簡単になれば良いじゃないかって。それは表現とつながるんですが、一貫してその敷居を下げていくことをしています。だからそうですね、一見僕たちは、変わっているように見えるんですけど、ちょっと一歩入ってきてもらえれば、普通なことをしているんです。

――「ゴミブルーになる」っていうのは、具体的にはどうやってなるんですか？

簡単なんですよ。ネット通販でヒーローのスーツを買って着るだけです。その格好で火バサミをもって地域を歩く気持ちがあるか。あと、体型が合うかどうか。スーツが基本的にワンサイズしかないんですよ、どのスーツも。だから、なりたいかどうかと、体型が合うかどうか。この二点だけです。

——異質ですが、スーツ関係なく見れば、ただのゴミの環境美化活動ですよね。

そうなんですよね。そこがトリックでね。一見見た目に騙されるんですけど、やってることはまっとうな美化活動なんで。そこでいつも許されるという複雑な仕組みを持っている。

いつも活動している上賀茂では、当たり前の景色になったって表現することが多いんですけど、ほんまにもう見向きもされなくなりました。コンビニで普通に買い物できますしね。この間ね、コンビニに、事件か事故で警察が来ていて、その様子を

16

ゴミブルーたちが見てるっていう。
公共性を高めると、誰でもアクセス出来る、どんどん普遍化していくっていうことなので、要するにリアクションが薄くなっていくんやね。普通の景色になっていく、どの活動でも、それが目指すところなんです。いかに公共性を高めるか。公共性を高めようと思ったら、ハードル下げていかなあかん。それをずっとしてる感じやね。
今のような話も説明がしきれないので、そういうのにね、ちょっと終止符を打つべく、スウィングは今度、図書館になるんです。

――と、図書館??

なんでスウィングにスウィングの利用者と職員しかおらんのやみたいな。その疑問がずーっとあって、もっと日常的に誰もが出入り出来る場所にしたいと思ったんです。要するに施設全体を図書館化するっていう計画。カテゴライズされたハードルを下げていくという意味では、図書館って自分の中でもすごい、たどり着いたっていう気がしていて。

図書館って本を読むための場所だと思うんですよね、当たり前に。第一義的にはそうなんですけれども、二義的、三義的には、教室に居場所がない子どもの居場所になったり、あるいは、お金がない人もただでいることができて、いろんな価値観とか物語に触れることができる場所。誰でも知ってるし、安心感の持てる場所ですよね、図書館は。そういう機能を昔から図書館は持っていたじゃないですか。

それで「スウィング公共図書館」って名乗ろうと思いついた。本を読んでもいいし、読まなくてもいい場所。ただ図書館っていう大義名分があることによって、人はそこにアクセスしやすくなるし、その場に対しての敷居が下がるんですね。足を踏み入れるきっかけ。それが図書館。

コンセプトは色々あるんですけど、**公共性の拡大**っていうのが、一番のテーマです。制度上の福祉施設は、高齢者を対象にしたり、障がい者を対象にしたり、あるいは児童を対象にしたりするけれども、**本来的な福祉**っていうのは、別にカテゴライ

#16

ズした誰かに対したものではなくて、人間の権利みたいな、人間みんなが幸せになる権利っていうか。だから本来の福祉施設って、言い換えれば、公共の施設のはずなので、そうするには、どうしたらいいかっていうことを、ずっと考えての結果って感じかな。

あるいは、スウィングには来たいんだけれど、福祉制度を利用してスウィングに来るということは、障がい者として来るというこ と。そこに対してハードルを持っちゃう人も、当たり前にいるんで、そういう人も来れる場所。負担なく来られるようにハードルを無くしたい。

きっかけづくりはこれまで色々してきたつもりなんだけれども、結局、敷居を下げるつもりがぱっと見すごく普通ではないことをしてしまうことが多かったので。図書館は本当にこれはいけるだろうって。まぁ、メインの閲覧室以外には、色んな利用者がたくさんいるんで、そこに入っていける人は、だいぶ強者やと思うんやけど。また、土日は休みやし、平日の昼間っていう時間に来られる人しか来られない場所なんやけど。

——確かに図書館ってどんな人も受け入れるフェアであるべき場所とされてますよね。

一応そうですね。公共の中には公平性も含まれると思っています。ずっと公共の活動、言い換えれば、公共の場所を運営してきたつもりなので、そのつもりを現実にするっていう手段なんです。

——スウィングも「まちづくり」をしている？

「まちづくりをしている」という意識は持ったことはないですね。まじめな話しちゃっていいかな。一昔前から、「社会的に」とか、「地域貢献」とか、「地域と共に」とか、「地方創生」とか、「地域づくり」とか、地域地域って、すごい言われてるでしょ？僕はその言葉をあまり信用していない。地域って、みんな簡単に言うけど、実はどこのことかっていうのを、考えてる人って、すごい少ないと思っています。

#16

例えば、京都駅の東側に東九条というエリアがあって、在日コリアンの方が住んできたということが最も大きな地域性なんですが、いろんな社会課題が顕在化している場所として知られているんです。

近年、行政などが「芸術と若者の街」とか、「多文化共生」をスローガンとして掲げて、まちづくりを推進しているんですが、そこに関わるアーティストが、僕はすごい嫌でした。社会包摂とかと一緒で、問題みたいなものに寄っていく、ある種の浅ましさというか、そのことを自覚してるのかなっていうのがすごい疑問でした。そこに無自覚だと本当に失礼。失礼だし、アートではないと思う。っていう批判を割としてきたんですよ。

そのエリアに「シアターE9（イーナイン）京都」という2019年にできた新しい小劇場があって、その支配人に「展覧会をしないか」とお誘いをいただいたんです。

それで、批判してるだけで自分はやっていないじゃんって思って、スウィングが東九条に関わることをやってみようと思ったんですね。

スウィングが地域ということを考えるときに、一番自分達の地元っていう意味では上賀茂なんですね。僕たちの場合は活動とか、発信したい射程によって、地域というのを伸び縮みさせようと昔からしていて、ゴミコロリは上賀茂、一番足元の地域に根ざした活動ですし、例えば、メンバーのヘンタイ的な記憶力を駆使した「京都人力交通案内」っていうバス案内だと、京都市内を射程にしているし、全国的に見れば、京都府のスウィングだろうし。そういう風に地域っていうのを伸縮させて捉えるんですけれども、東九条というのは、そういう意味では自分たちが暮らしてきた京都なんですね、間違いなく。だからそこに線を引くのは違うと思ったし、同時に線を引いてきた自分を知ることにもなったんですよね。

——批判してきたアートでまちと関わることにしたんですね。難しい挑戦ですね。

そうですね。「遠景と近景」いうことをよく考えました。近

16

い風景に焦点化することによって視野狭窄にも陥るし、全体が見えなくなるんですよね。だから東九条の社会課題みたいなものを近景にしたらあかんと思いました。そこにフォーカスすることは大事なことなんですけど、フォーカスしすぎると自分たちとは関係ない地域という目線も当然生まれるわけで、そこの伝え方、アプローチの仕方、考えなあかんなと思いながらやっていました。

そこで、スウィングは上賀茂でやってきたゴミコロリを1年間東九条に持ち込んで、その結果を展示で結びつけるといったプロジェクトを企画しました。

そのことによって何が生まれるかというと、ゴミブルーの問題感ってすごいんですよ。誰がどう見たって異質なんですよね。その様子を写真に撮ってもらったり、映像にしたり、あるいは絵画にしたりすることによって、東九条という地域を遠景にできると思ったんですよね。

東九条は、当事者性満載の地域として見られてきたことで、視野狭窄も起こってきただろうし、その問題ばかりにフォーカスされて、そうじゃない側面、普通の側面というか、そういうのを見えなくさせてきたっていう感覚があって。そのためにゴミコロリが果たす機能っていうのは大きいのじゃないかと思いました。

――ゴミコロリを近景に、東九条のまちを遠景に置いた。

はい。そういうことを考えながら行動をしてきて、なおかつ展示空間を作ったんですけど、最終的に最も嬉しかったのは、写真に写ってるおばちゃんが写真を指差して喜んでいるというすごいシンプルな風景だった。そもそも東九条にE9っていう劇場ができたのは多くの人が知ってるんですけど、やっぱり簡単に足を運べる場所ではない。用事がない場所なんですよね。舞台公演って結構お金もかかるし、馴染みがある人じゃないとなかなか行く気にならないですよね。そういう難しさをもっている場所だと思うんですけども、だからこんなに地元の人が来た事っておそらくなくて、その点においては成功といえると思

#16

います。

「地域づくり」とか、ある言葉を便利に使えば使うほど、その本質が逃げていくと思っていて、政治を語れば語るほど政治が、福祉を語れば語るほど福祉が逃げていく。「地域」も同じだと思っています。

スウィングは、地域地域ってことは言わないんだけど、例えばゴミコロリとか、近隣の子ども達の関わりであるとか、いわゆる、地域に根ざした活動っていうのを結果的にやっているっていう状況は、あるかもしれんなって思ってるんですよね。

で、ブラフアートを見た時に、その辺がね…、ほんま自然。なんか、それが地域に根ざしてるとか、そういうんでもないし、ほんまに「ある」っていう状況が自然にある。無理してない。無理してるかも分からんけど、無理してないように見える。

だから、ブラフアートは遠景だな、と思いました。この本なんかまさにそうやね。ブラフアート自体を遠景にしてますよね。遠景にすることによって、ブラフアートが立ち上がってくる、という。そこにある価値観や文化が立ち上がってくるという感じがして。

この本のタイトルもシンクロすると思うんですよね。「急がば回れ＝遠回り」。

16

呼・さすらいのゴミ野郎、
嗚呼、我らゴミコロレンジャー！
まち美化戦隊
ゴミコロレンジャー
Gomicororangers for "motto" beautiful Kyoto City.
毎月第3水曜日 10:00〜12:00 ON GOMICORORI!
Every month third Wednesday 10:00〜12:00 ON GOMICORORI!

NPO法人「スウィング」

京都府京都市北区上賀茂南大路町19番地
(天下一品本部事務所敷地内)
http://www.swing-npo.com/

おわりに

私たちが住む「まち」は誰がつくっているのでしょう?
政治家さんでしょうか?
大企業の社長さんでしょうか?
自治会長さんでしょうか?

いいえ、
私たちブラフアートは、そのまちに住む人、働く人みんながつくっていると考えています。
「偉いさん」も、「すごい人」も、「近所のおばちゃん」「こども」もみんな。

この本には、「偉いさん」も「すごい人」も、「近所のおばちゃん」も「こども」も出てきます。
一人一人の人生が、とても興味深く、愛おしい。
このまちに住む人、働く人、それぞれの人生が
重なり合い、そしてまた響き渡り、まちを創り深める。

お金をかけて建物や道路をつくること、
大型ショッピングモールを誘致することももちろん
そこに住む人たちの生活を便利にするのかもしれません。
しかしながら、本当の意味で「豊か」なまちとは、
そこに住む人たちの魅力が輝き、
あの人も、この人も、私も
それぞれが重なり合って、今があることを実感できるまちではないでしょうか？

ひとりの魅力が輝けば、また一つそのまちは輝きを増す。

魅力と魅力を繋がり合わせることができれば、まちはまた強くなる。

その繰り返しが、まちづくりなんだろうと思います。

ブラフアートは長い時間をかけて、このまちに暮らすみんなの魅力をつなぎ合わせていきたい。


これからも、「急がば廻れ」な実践は続きます。

特定非営利活動法人BRAH=art.(ブラフアート)

2014年9月設立。障害福祉事業をベースに、地元の食材やアーティストを支援するカフェやシェアハウスを経営する。周辺地域の企業、地域団体、住民と共に、子ども食堂や学習支援などの子どもを対象とした活動や、朝市やマルシェの運営、まちづくり活動に参画。どうしたら滋賀県大津市瀬田地域に住むみんなのHUBになれるだろう?と日々妄想を繰り返している。

[BRAH=art.] WEBSITE　BRAH.ART　[SPOONS] WEBSITE　CAFEGALLERYSPOONS　ATELIER.IKKAI_SANKAI

いそがばまわれ　―社会を楽しくするのが、福祉のミッションだろ?

2021年6月1日初版第1刷発行

編著 ―― 特定非営利活動法人 BRAH=art.

イラスト・ブックデザイン ―― 泉亜紗子
写真 ―― 杉沢栄梨
装丁 ―― 鯵坂兼充
編集 ―― 岩原勇気、内藤智奈美、堀江昌史

発行者 ―― 特定非営利活動法人 BRAH=art.
理事長　岩原勇気
〒520-2153 滋賀県大津市一里山二丁目 14-12-1-B
TEL・FAX　077-575-9952

発行所 ―― 能美舎
〒529-0431 滋賀県長浜市木之本町大音 1017「丘峰喫茶店」内
TEL・FAX　0749-82-5066
noubisya@nike.eonet.ne.jp
https://www.kyuhokissaten.com/noubisya

能美舎 noubi sya

印刷・製本 ―― 株式会社光邦
助成 ―― 公益財団法人　ダイトロン福祉財団

ISBN　978-4-909623-06-5
C0095 ¥1500E